すぐ寝る、よく寝る赤ちゃんの本

寝かしつけの100の“困った”をたちまち解決！

乳幼児睡眠コンサルタント
ねんねママ
（和氣春花）

青春出版社

はじめに…赤ちゃんが寝ないのは「寝かせ方」を知らないだけ！

この本は**赤ちゃんの夜泣きや寝かしつけに悩む人をラクにするため**の本です。いま、苦労されているママやパパ。毎日忙しくて大変な中、この本を手に取ってくださってありがとうございます。

私自身、娘が赤ちゃんだった頃は本当に悩みました。どうしてうちの子だけ寝ないの？　と周りと比較して、毎日夜がくるのが怖くて涙する日々を送っていました。そんなあるとき、睡眠の知識に出会って世界が変わりました。このつらい日々から脱出する道があったのか！　と目の前がひらけた気分でした。

「寝てくれないのは個性」「自分も夜泣きをしていたから、この子にも夜泣き体質が遺伝している」…そんなふうに考えていましたが、そうではなかったのです。ただ私が〝**寝かせ方を知らなかった**〟だけでした。

そのときから私は「もっと正しい睡眠の知識を日本の親たちに広めたい！　同じように悩む人の力になりたい！」と思うようになり、まずはＩＰＨＩというアメリカの団体で「妊婦と子供の睡眠コンサルタント」の国際認定資格を1年間かけて取得しました。その後、乳幼児睡眠コンサルタントとしてコンサルティングを行いながら、YouTubeやInstagramなどのSNS、ブログなどで発信を行い、さらに専門的な知識を深めるために日本の医師が監修したCISAという団体のプログラムで「小児スリープコンサルタント」の資格も取得しました。

赤ちゃんの睡眠問題は本当に死活問題だと思っています。夜泣きに悩み、寝不足に苦しむママやパパを1人でも減らしたい！　そんな思いを持ちながらずっと活動を続けています。よりたくさんの人たちにアドバイスができるよう「寝かしつけ強化クラス」というグループサービスも作りました。このサービスでは現在月間200問ものお悩み質問に回答し、たくさんの方々のお悩みにアドバイスし続けています。

この本はそんな私が学んだ知識や積んできた経験から、ママやパパがラクになるための赤ちゃんの寝かせ方をもっともっとたくさんの方に、読みやすく、わかりやすく、具体的にお届けしたいと思ってつくった本です。

・寝かしつけに1時間以上かかり、自分の時間がとれない
・夜中に何度も泣かれ、寝不足でイライラする
・時間をかけて寝かせ、そっと着地させたのに失敗して泣かれて振り出しに戻り、こちらが泣きたくなる

・毎日夕方になると「またこれから夜がやってくるのか…」と憂鬱な気分になる
・周りの子が全員お利口に見えて、街を歩きながら涙が出てくる
・かわいいはずの我が子がかわいく思えず、自分は母親（父親）失格だと思う

赤ちゃんが寝てくれないと、こうなりますよね。

ですが、これらは変えることができます。私自身も変わりましたし、これまでコンサルティングした方々からも喜びの声をたくさんいただいてきました。

・よく寝てくれるようになって、自分だけの時間や夫婦の時間がとれるようになった
・睡眠がとれるようになり、ママやパパも赤ちゃんも機嫌良く過ごせるようになった
・寝かしつけのストレスが解消され、夜が怖くなくなった
・子どもがかわいく、育児が心から楽しいと思えるようになった
・寝不足が解消されたことで、夫婦のギスギスも解消された
・気持ちに余裕ができて、新しくやりたいことが見つかった

この本には、こういった変化を起こすための道標（みちしるべ）を詰め込んでいます。

理論はわかったけど具体的にどうすれば？　という疑問解決のために、リアルな100個の質問に回答も行いました。困ったときに何度でも、パッと読み返しやすいように、質問ごとにどこを読み返せばいいかも書いてあります。

夜泣きや寝かしつけのトラブルは、出口の見えない暗いトンネルの中で闘っている気分になるものですが、ルートの取り方次第で出口は意外と近いところにあったりするものです。

一緒に出口を探しにいきましょう！

［パパへ］

仕事も大変、家庭も大変、毎日お疲れ様です。

大好きだった奥さんが「変わってしまった」と思うことがあるかもしれません。しかしそれは母としての本能です。ホルモンバランスの変化により、ガルガル期とも呼ばれる攻撃的になってしまう時期がみんなあるものです。パパへの愛がなくなったのではなく、愛を赤ちゃんに向けなくてはならない時期の表れなのです。どうか落ち込まないでください。

一緒に苦労して、泣いて、がんばることは今後の夫婦の人生、そしてお子さんの人生に間違いなくポジティブに作用してきます。産後の恨みが一生なら、産後の感謝も一生です。

ぜひご夫婦で励まし合いながら、未来のために取り組んでみてくださいね。

すぐ寝る、よく寝る赤ちゃんの本
寝かしつけの100の〝困った〟をたちまち解決！

目次

1章

寝かしつけがどんどんラクになる！

赤ちゃんの気持ちを知っておこう

2章

やってはいけないツボがある！
寝かせるつもりで起こしてしまうNG行為

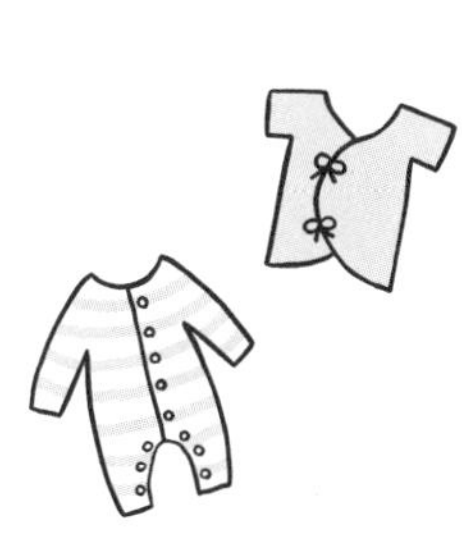

5章

〝入眠のクセ〟をとってねんね力アップ！
ひとりで寝られるようになる「ねんねトレーニング」とは？

6章

知りたいことがすぐわかる！
寝かしつけの「困った」100問100答

1章

寝かしつけがどんどんラクになる！

赤ちゃんの気持ちを知っておこう

全然寝てくれない…、うちの子は普通じゃない!?

いつもギャンギャン泣かれていたり、寝かしつけに毎晩何時間もかかったりすると、

「うちの子はどこかおかしいんじゃないか？」

「こんなのって普通じゃないんじゃないか？」

そう思ってしまうこともあると思います。

産後すぐは特に〝普通〟や〝平均〟であることが正しいことのように思えますよね。


でも私たち大人で考えてみたときに、普通や平均でなければいけないでしょうか？

そうとも限りませんよね。個性はとても大事なものです。


赤ちゃんにもそれぞれ個性があります。よく泣く子、あまり泣かない子。よく笑う子、あまり笑わない子。そして、よく寝る子、あまり寝てくれない子。

私の娘は、よく泣いて（声も人一倍大きくて）、あまり笑わなくて、全然寝てくれな

い子でした。同じ時期に産まれた赤ちゃんが何人か身近にいたので、つい比べてしまって「なんでうちの子だけ…」「普通じゃない…」そんなふうに悩む日々でした。

でもそれは違うと気づきました。**〝普通の赤ちゃん〟なんて生き物は存在しません。一人ひとり違って当たり前、個性です。**

インターネットなどでよくも悪くも「普通」や「平均」の情報が簡単に手に入ってしまう時代ですが、そうなるとついつい〝足りないところ〟〝できていないところ〟に目が向いてしまいがちになります。

自分なりに、その子なりに、大きくなって、少しでも前に進んでいければいい。睡眠についても知って改善していけば、必ず少しずつ前に進んでいくことができます。そんなふうに考えて取り組んでみましょう。

泣きたいのはこっち！
我が子の泣き声がつらい

「こんなに泣いていて…かわいそう」とこちらも泣きそうになっていませんか？　もしくは「泣き声を聞くと頭に血がのぼる」という経験がある方もいらっしゃるかもしれませんね。

泣き声を聞くと不安感や不快感を感じる、それは当たり前です。**大人の泣き声と動物の鳴き声と赤ちゃんの泣き声を聞いた時、脳内の反応の違いを調べてみると、赤ちゃんの泣き声のときは非常に速い反応がみられる**という研究結果もあります。それほど、私たちの脳にとって赤ちゃんの泣き声は強い刺激なのです。

かわいい我が子なのに、泣き声を聞くと嫌になってしまう…そんなときがあっても、なんら問題ありません！　この本では泣き声が苦手な方にも取り組める睡眠改善の方法もご紹介していきます。

私自身、本当に泣き声が苦手でした。少しでも泣き声が聞こえると心の中にゾワゾワゾワッとしたものが湧き上がってくるような気分になり、1秒たりとも長く泣かせたくない、泣き声をおさめられないと切迫した気持ちに襲われました。

泣く理由がわからなくて、怖くて不安で、とにかくその場を収めたかったのです。

同じ同じ！　そう思っている方も大丈夫です。そんな私でも我が子が1人で寝つけるように寝かしつけを変えることができました。

そのためにはまず、赤ちゃんが泣く理由を理解するところから始めることが大切です。

赤ちゃんはなぜ泣くの？　そんなところから、赤ちゃんの不思議を紐解いていきましょう。

赤ちゃんはなぜ泣くの？

赤ちゃんは泣くことによって、何かしらの「不快」を訴えていることが多いものです。

［不快の内容］
お腹がすいた、おむつが気持ち悪い、眠い、痛い、かゆい、ゲップしたい、暑い、寒い、抱っこして欲しい、まぶしい、うるさい、窮屈、体調が悪い…など

しかし、これらのどれにも当てはまらないのに泣き続けることもあります。親を試していることもあれば、理由もなく泣いてしまうこともあります！

赤ちゃんが泣いていると、泣き止ませられない自分が責められているような気持ちになっていませんか？　自分がダメな母親だからなんじゃないかと、不甲斐なくて涙を流したこと、私も何度もありました…。

でも大丈夫、泣いているからといって泣き止ませなくてはいけないということはありませんよ！　原因と思われるところをまずは対処してみて、それでも解決しないなら泣

きたいだけなのかもしれません。

そのようなどうしようもない「泣き」を、Purple Crying（パープルクライング）と呼ぶ考えもあります。これらの泣きは親の行動に関係なく現れますので、ギャンギャン泣いて泣き止まなくてもママやパパのせいではありませんよ！ ママやパパはそこにいてくれるだけで赤ちゃんの安心になっています。自分を責めないでくださいね！

赤ちゃんが理由なく泣く Purple Crying

生後2週間くらいから始まり、生後2ヵ月くらいをピークに生後5ヵ月くらいまでどうにもならないほど泣くことがあると言われています。この現象を頭文字を取って「Purple Crying」と呼びます。

P：Peak of crying
生後2ヵ月がピーク

U：Unexpected
泣く理由が予想できない

R：Resists soothing
なだめることもできない

P：Pain-like face
痛くなくても痛そうに泣く

L：Long lasting
長く、1日5時間以上泣くこともある

E：Evening
特に、午後から夕方によく泣く

赤ちゃんは何を怖がるの?

赤ちゃんは新しいものや変化を怖がり、いつも通りであることに安心します。次に何が起こるか予測できるからです。

寝る前の行動の流れ（就寝ルーティーン）もその1つ。毎日同じ流れに統一したほうが、赤ちゃんは「このあとはねんね！」と安心して納得することができます。


見落としがちなのが寝かしつけのときの声色や表情。

ママやパパがイライラした声をしていたり、不安そうな顔をしていたりすると、赤ちゃんも不安な気持ちになって、余計に寝つけなくなってしまいます。

「早く寝てくれよ〜〜！」と思ってしまう気持ちは痛いほどよくわかります！ でもそこではグッとおさえて、気分は名俳優に！「ねんねだよ〜」とロボットのようでも構いません。やさしく声がけしてあげてください。

イライラは寝かしつけ後に、（赤ちゃんを起こさないように）別の部屋で枕に叫んで吐き出しましょう。大きい声を出すことはストレス発散に有効な方法の1つですよ。

こうすれば赤ちゃんはどんどん寝たくなる！

赤ちゃんが泣く理由は何かしらの不快を訴えているとお話ししましたが、**「今から寝るだなんて聞いていない！」「まだ寝るつもりじゃない！」という驚きもこの不快要素の1つです。**

赤ちゃんにスムーズに眠りについてもらうためには、赤ちゃん自身が寝ることに納得していることが大切です。私はこれを「**ねんねの納得度**」と呼んでいます。

では、ねんねの納得度を高めるためにはどうすれば良いのか？　3つの視点で解説していきます。

・就寝ルーティーン

ねんねの納得度を高めるために大事なのが就寝ルーティーンです。

ルーティーンとは同じ行動を繰り返すことです。毎日寝る前に同じ流れを繰り返すことで、赤ちゃん自身に「この後はおっぱいを飲んで、絵本を読んでねんねだな」と理解させることにつながります。次に起こることが予測できることで赤ちゃんは安心し、眠りを受け入れる心の準備ができるのです。

就寝ルーティーンの内容に決まりはありません。たとえば、お風呂からあがる↓スキンケアをする↓授乳をする↓絵本を読む↓電気を消す といった流れが一例です。「絵本を読まなければいけない」などの決まりはありません。ご家庭で取り入れやすい内容で行いつつ、月齢や成長度合いに応じて臨機応変に変化させていきましょう。ただし、授乳での寝かしつけをやめていきたい場合は、ルーティーンの最後を授乳にするのは避けていくと良いでしょう（5章で詳しく解説します）。

・**眠たい空気づくり（体を寝るモードにする）**

ねんねの納得度を高めるためにもう1つ重要なのが眠たい空気づくりです。

目も頭もぴっかり冴えて起きているのに「もう時間だから寝なさい」と言われても、納得できないし眠れないですよね。スムーズに寝かしつけるためには、いかにして体を寝るモードにしていくかが大事な鍵になります。

❶暗くして眠りを誘う

ヒトは光を感じると覚醒し、暗いところではリラックスして眠たくなるようにできています。これにはメラトニン（別名：睡眠ホルモン）というホルモンが関係しています。夕方以降に暗いところにいるとメラトニンが分泌され、「もうすぐ寝る時間だよ‼」という信号を発します。これによって眠気がつくられるのです。

スムーズに寝ついてもらうために、遅くとも就寝の1時間前、できれば2時間前からは明かりを落とし始めて徐々に暗くしていくようにしましょう。

❷生活リズムで眠りを誘う

毎日同じ時間に起きて、同じ時間に寝るリズムができていると、おおよそ寝る前の時刻になると自然と眠い状態を作り出すことができます。

とはいっても、毎日同じ時間に昼寝をとるのはなかなか難しいですよね！　1時間寝かせる予定だったのに30分で起きてしまうことも、寝つきが悪くて寝かせたい時間を大幅にオーバーしてしまうことだって、よくあることです。

それはそれでいいんです。ガチガチに気にしすぎるのは心の毒！　できる範囲のことをしましょう。

まずは起床時刻と就寝時刻を統一していくことをおすすめします。眠りに落ちる時刻を統一するのは難しいですが、寝室に行って寝かしつけを始める時刻を統一するだけなら、取り組みやすいのではないでしょうか？

起床時刻よりも早く起きてしまった場合、カーテンを閉めて寝室で待ちます（泣いてしまっているならあやすのはＯＫ、遊び相手にはならないでおきましょう）。そしていつもの起床時刻になったら「おはよう！」と元気に挨拶してカーテンを開けましょう！

❸体温で眠りを誘う

ヒトは眠りにつくときに体の中の体温（深部体温）を下げて入眠する性質があります。そのため、お風呂に入って体温が上がり、それが下がってくる波に乗って眠りに入れるとスムーズに眠りやすくなるのです。

入浴から就寝までの推奨時間はおよそ45〜60分程度です。入浴直後すぐにパジャマを着せて寝室に連れて行くと、まだ体がホカホカで眠りにつきづらい可能性があるので少し放熱の時間を持ってタイミングを図るようにしましょう。

・眠たい空気づくり（心を寝るモードにする）

体だけでなく心も寝るモードにしてあげることを意識してみましょう。寝る直前にサスペンスドラマを見てドキドキしていると、大人もなかなか寝つけないですよね。興奮したり不安な気持ちになったりすることを避け、安心してリラックスした状態にしてあげましょう。

❶声がけでリラックスさせる

「また今日も寝かしつけか…」と暗くどんよりした気持ちになることもあるでしょうが、それを赤ちゃんが察知すると、より寝かしつけに時間がかかる可能性があります。せめて、寝る前だけでもやさしいトーンの声かけを意識してみてください。声のトーンは低めに、ささやくように「もうすぐねんねの時間だね」と声をかけてなでてあげるのも良いですね。

親子共に自然に楽しい気持ちになるために、寝る前に1日の楽しかったことや、嬉しかったことの振り返りをするのもおすすめです。「今日、緑色の電車が走ってるの見えたね〜」「ちょうちょが飛んでいたよね〜」など、ささいなことで良いので、今日楽しかったことをお話ししてみましょう。

❷スキンシップでリラックスさせる

肌と肌を触れ合わせるとお互いにリラックス効果があります。**寝る前にハグをしたり、頬をすりすりしたり、マッサージをしたりしてスキンシップをとることで、リラックスした気分になって心が寝るモードに向かいやすくなります。**

お風呂上がりのスキンケアを兼ねて、ベビーマッサージを行うのも良いでしょう。

❸寝室＝リラックスと認識させる

怖がってしまっていたりすると、寝るモードになりづらくなってしまうこともあります。寝室は「寝る場所」「リラックスする場所」と覚えてもらいましょう。

寝室を「寝る場所」と教える方法

寝室を遊ぶ場所として認識している場合

「ここは寝る場所だよ」と声をかけつつ、寝室に入室したら声のトーンを落とすなどして差をわかりやすく示していきましょう。おもちゃは持ち込まないようにして、遊ぶ場所との区分けをします。

寝室を怖がっている場合

寝室は怖くないところだと教えてあげましょう。日中の明るいときに寝室を見渡してみたり、ベビーベッドやお布団の上で寝返りの練習をしたりして、寝室についた悪いイメージをとっていきましょう。

中には「寝室に入るとすぐに寝かされてしまう！」という認識で泣いている赤ちゃんもいます。その場合は、寝室に入ってすぐに寝かしつけを始めるのではなく、薄灯りの中でお話やスキンシップをしたり、マッサージをしたりするなど、寝室での楽しみを設けてあげるのが良いですよ！

column

赤ちゃんといっぱいハグをしよう

ぎゅ～っと抱きしめるハグ、赤ちゃんとしていますか？

欧米人に比べて日本人はハグをする文化があまりありませんが、実は、ハグはスムーズな寝かしつけのために、大事な要素を担っています。

ハグをすると「βエンドルフィン」や「オキシトシン」といった幸せホルモンなどと呼ばれる脳内物質が分泌され、リラックス効果やストレス軽減効果が得られるとされています。

つまり、赤ちゃんもリラックスして眠りやすくなり、ママやパパも、幸せで穏やかな気持ちで寝かしつけに取り組めるようになるのです。

ぜひ、就寝前のルーティーンに、ハグを取り入れてみてくださいね。

2章

やってはいけないツボがある！

寝かせるつもりで起こしてしまうNG行為

赤ちゃんのため！　が逆効果？

やってしまいがちな「ねんね妨害スイッチ」

・夕方は眠そうでも寝かせない

「夜寝て欲しいから昼寝は短めに……！」と考えてしまいがちですが、これは夜泣きや寝かしつけトラブルの原因になりかねません。

赤ちゃんは**長く起きていると疲れすぎて脳が理性を失って寝つきづらくなったり、眠りの質を下げたりしてしまいます**（3章で詳しく解説します）。

眠そうであれば夕方でもお昼寝をさせて、小休止を入れてあげましょう。特に低月齢のうちは夕方でも他のお昼寝と同じく、しっかり寝ておくことが大切です（付録の月齢別シート参照）。

生後6ヵ月頃になって就寝時刻に響くようになってきたら、30分程度で切り上げるようにします。起こすときはいきなり抱き上げたりせず、やさしく声をかけ、手足をさす

ったり頭をなでたりしながら刺激してあげましょう。

・寝る前も大興奮で遊ぶ

寝る前はその後のおやすみに向けた誘導の時間です。その時間に大笑い、大興奮の遊びをしてしまうと頭や体が活発モードになって、寝つきを妨げてしまいます。寝る前はできるだけリラックスした時間を過ごせるようにしましょう。

・眠くなさそうなのでコンビニまで散歩

夜は注意をしたいポイントです。夜はだんだんに明かりを落として体を寝るモードにしていきたい時間です。しかし、コンビニの明るく強い光を目にしてしまうと一気に活動モードになってしまいます。気分転換にお散歩をするにしても、街灯くらいの明るさの道を歩くようにしましょう。ただし、寝かしつけのためにお散歩するのが習慣化すると、親の負担が増えるので、できるだけ避けましょう。

・暑い／寒いのにエアコンをつけない

部屋が暑すぎたり寒すぎたりすると大人でも寝づらいですよね？　赤ちゃんも同じです。**赤ちゃんは大人よりも暑がりな傾向があるので、特に暑さには大人よりも弱いと意**

識していただくと良いでしょう。エアコンを上手に活用し、快適な室温を保ちましょう。

Point

＜快適なエアコン設定の目安＞
・夏：25〜27℃　・春秋：20〜22℃　・冬：18〜20℃
数字は目安ですが、大人が過ごしやすいかどうかの感覚が大事です。
（室温ごとの服装の目安はP66で解説しています）

・眠たくなる動画で寝かしつけ

YouTubeなどにはたくさんの寝かしつけ動画が存在します。しかし、動画のためにスマホやタブレット、テレビの画面などを見ることで脳が活性化して、活動モードになってしまいやすくなります。**寝る前、最低1時間は画面を見せないように心がけましょう。**

・豆電球をつけて寝かせる

豆電球など天井についている電気は、ねんねしている赤ちゃんがパッと目を開けたときに視界に入ってしまうため、そこで赤ちゃんを覚醒させる要因になってしまいかねません（ついていてもぐっすり寝られるのであれば、そのままで構いません）。

授乳ライトを使用するのであれば、足元（ベビーベッドの下やクッションの裏など）に直接光源が見えないようにして、暖色の明かりをできるだけ暗い照度で設置しましょう。ライトは明るさや色が調整できるタイプのものがおすすめです。

・必ずパパの帰宅を待ってお風呂に入れる

パパが在宅勤務であったり、いつも同じ時間に帰宅できるのであれば良いのですが、帰宅時間がバラバラでお風呂が18時だったり21時だったりとずれてしまうのはできれば避けたいものです。

パパの帰宅が遅くなってしまう日は、無理をしてお風呂に入れなくてもOK！　代わりに沐浴でも良いですし、温かいタオルで拭き取ってあげるだけでも良いですよ。お風呂マットなどの便利グッズも活用しながら、できるだけ同じ時刻に入浴できるように心がけてあげましょう。

寝ている間についやっちゃう！

赤ちゃんを逆に起こしてしまう「NGお世話」リスト

・泣いたらすぐに声をかける

寝ている間、赤ちゃんが「ふぇ〜ん」と泣き出したら、どうしますか？　ヒートアップする前にいち早く「どうしたの？　よしよし」と声をかけて抱き上げてあやすという方もいらっしゃるでしょう（私も光の速さで対応していました）。

しかしこの行為、赤ちゃんが自分で眠る力を養うのを邪魔してしまっているかもしれません。

寝ている間に赤ちゃんが泣いたら、まず2〜3分様子を見てみてください。なぜなら「寝言泣き」の可能性があるからです。 寝言泣きとは赤ちゃんが寝

ているときに寝言のように泣いてしまう（頭は寝ている）ことを指します。

大きい泣き声と小さい泣き声を波のように繰り返していたら、自分で泣き止めそうなサイン。待って自分で泣き止むことができれば一歩前進！ 自分で寝る力を身につける機会をつくってあげられるよう、赤ちゃんをサポートしてあげましょう。

待っていても全然泣き止む気配がない！ 明らかに寝言ではない！ という場合でも「待つ」という行為は赤ちゃんのねんね力を育てることに役立ちます。**海外の実験では、夜泣きに反応するのが60〜90秒遅いほうが自力で眠れる力が養われやすくなることがわかっています。**

まずは1分間でも良いので、泣いてもすぐに反応せず様子を見てみましょう。

・泣くたびにおむつを替える

夜中におむつを替えると、それが刺激になって赤ちゃんを起こしてしまう可能性があります。うんちが出ていたり、漏れそうにたっぷりおしっこが出ていたりしなければ毎回替えなくても大丈夫です。

いつも漏れてしまう場合は、寝るときだけ1サイズ上のおむつをつけたり、おしっこ吸収ライナーという商品を活用したりする手もあります。

・泣いたら毎回何度でも母乳やミルクをあげる

泣くたびにおっぱいやミルクをあげる、という声を聞くこともあります。もちろん、お腹が空いて泣いているときもあります！

でも、たとえば1時間ごとに泣いて起きるという場合、もしくは生後10ヵ月で3時間ごとに起きるという場合、それは本当にお腹が空いているのでしょうか？

赤ちゃんは（大人でも）夜寝ている間にうっすら何度か目を覚ましています。**この目を覚ましたときに毎回授乳をしてもらえると認識すると、授乳なしには眠れなくなってしまう**のです（5章で詳しく解説します）。

時間間隔や本人の様子を見て、「本当にお腹が空いているのかな？」と立ち止まって考え、授乳ではない方法で寝かしつける練習も取り入れてみましょう。

・声をかけながら授乳

つい「かわいいね～じょうずね～よく飲んでるね～」などと声がけしたくなりますが、夜中はグッと我慢。うとうとと眠りに向かっているところを、声で起こしてしまっているかもしれませんよ。

・部屋や顔をライトで照らす

大人が寝るときに赤ちゃんがどこにいるか確認するためだったり、帰宅後のパパが赤ちゃんの寝顔をひとめ見るためだったり…理由は様々ですが、赤ちゃんが反応して起きてしまうような照らし方は避けたいものです。

安全確認のため明かりが必要な場合、赤ちゃんに直接光源が見えないような足元で暖色系の明かりをうっすらつけるようにしましょう。赤ちゃんの顔をスマホのライトで照らすようなことは避けましょうね。

・寒さ対策で掛け布団

0歳児に掛け布団は不要です。動いたり寝返りしたりしたときに、鼻や口を塞いで呼吸を妨げてしまうリスクになるためです。生後3カ月頃まではおくるみ、それ以降はスリーパーやスリーピングバッグを活用しましょう。

"ねんねのお友達"を活用しよう

月齢が上がって好みや執着が出てくると、特定のぬいぐるみやタオルなどが「ねんねのお友達」となり、一緒に眠ることで安心材料になってくれることがあります。

こういった類（たぐい）のものは安全のため寝返りや寝返りがえりで自由に体が動かせるようになってからにしましょう（目安1歳〜）。

寝る前にママが体に挟むなどして匂いをつけておくと、より安心感が増しますよ。

ねんねのお友達を選ぶポイント

親が選ぶのではなく、本人が選ぶと◎

これをお友達にしなさい！と言われても、それが安心材料になるのは難しいもの。本人が愛着を持っているものをお友達にしましょう。

安全性に注意

ボタンが付いていたり部品が外れたりする可能性があるもの、紐が付いているものや鼻や口を覆って呼吸を妨げるようなものは、誤飲や窒息の危険性があるので避けましょう。

3章

〝すやすやスイッチ〟を入れよう！

赤ちゃんが快適に眠れる条件って？

光をあやつり、赤ちゃんの睡眠リズムを整えよう

ヒトの体はもともと、明るい時間に起きて暗い時間に眠るようにできています。朝の青い光を見ると覚醒し、夕方の赤い光とともに寝るモードに入っていくように体が作られているのです（太陽の光は朝は青が強く、夕方は赤が強く見えます）。

この自然のリズムにならって、朝起きたらカーテンを開けて朝の光を浴び、夕方以降は就寝までだんだんに明かりを落としていきます。できれば就寝2時間前くらいから明かりを少し落としはじめられると理想的です。寝る前に青い光（蛍光灯やスマホの画面）を見ると生活リズムが乱れるのでできるだけ避けましょう。午前中の散歩も、生活リズムを整えるのに有効です。

生活リズムを整えることが、夜に自然と体を寝るモードに持っていくことにつながります。

起きる時間と寝る時間、どうやって決める？

生活リズムを整えるためには毎日同じ時間に起床して、同じ時間に就寝するリズムにすることが大切です。寝かしつけの時間は同じにすることを意識していても、起床時間はバラバラ…という方は割と多くいらっしゃいます。

ですが、起きている時間が違うのに同じ時間に寝るのは、大人に置き換えてもちょっと難しいですよね。ねんね力が未熟な赤ちゃんならなおさらです。

また、つい週末になると寝坊をしたくなりがちですが、土日に大幅な寝坊をしていると時差ボケ状態になってしまい、月曜日以降の生活リズムを乱す原因となります。可能な範囲で土日も同じリズムで起きるように心がけてみましょう。

毎日同じ時間に起きたいのは山々だけれども、赤ちゃんが朝5時などに目を覚ましてしまって寝ていられない！　というケースもありますよね。その解決方法については、P150で取り上げています。

夜の〝スヤスヤねんね〟にはお昼寝が大切！

赤ちゃんは大人のように日中ずっと起きていることができず、お昼寝をします。**このお昼寝には、夜泣きや寝ぐずりなどのねんねトラブルを防ぐ大切な役割があります。**

これには赤ちゃんの脳内の２つの部分が関係しているとされています。（ちょっとだけ難しい話になりますが）１つが頭の中の優等生として理性を保っている前頭葉、もう１つが感情を生み出す大脳辺縁系という部分です。

この大脳辺縁系は感情を司るもので、生後４ヵ月ごろから急激に発達し始めます。そして「眠い！　不快！」などの感情や欲望を生み出します。それをコントロールするのが前頭葉なのですが、大脳辺縁系よりも発達がゆっくりなので、赤ちゃんのときはまだまだ未熟です。未熟ながらに理性を保とうとして、「ちょっと落ち着こう」「ママはこのあと来るはずだから、泣き止んでみよう」という行動を生み出してくれています。

この「眠い！　不快！」という感情も前頭葉が抑えてくれればうまく寝つけることにつながるのですが、長く起き続けて疲れてくると前頭葉は大脳辺縁系を置いて先に眠ってしまうのです。

そうなると後は大脳辺縁系のオンステージ。「眠い！　なのに眠れない！　不快不快不快！」とギャン泣きすることにつながってしまうのです。

このまま寝かしつけをすると寝ぐずりをしてなかなか眠れないだけでなく、眠った後も睡眠の質が下がり、ちょっとした物音や気配で起きて夜泣きをすることにもつながってしまいます。このような状態になる疲れすぎる前に、寝かしつけを始めるのがねんねトラブルを防ぐコツです！

赤ちゃんの「眠いサイン」を見逃さないで！

タイミングよく寝かしつけをするための指標の１つが赤ちゃんの眠いサインです。

眠いサインとは赤ちゃんが眠くなってきたときに出る特有の仕草のことです。

「全員これが出たら眠い！」ということではなく、眠いサインは赤ちゃんごとに違うので、眠くなってきたときいつもしていることはないか、観察してみてください。

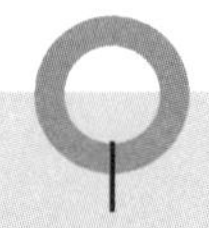

眠いサインの例

ねんねの頃

宙を見つめる、顔をこする、ママやパパの肩などで目をこする、あくびをする、泣く、奇声をあげる

おすわりや歩く活動を始めてから

あくび、泣く、目をこする、耳をひっぱる、歩きながらものにぶつかる、おもちゃに興味がなくなる、動作が粗くなる、短気になる、奇声をあげる

月齢別・寝かしつけのベストタイミングって？

「眠いサインが出たら寝かしつけ…と言われても、うちの子はサインがよくわかりません！」という場合もありますよね。そんなときに指標になるのが月齢別の寝かしつけのベストタイミングです！

下の表は月齢ごとにおおよその起きていられる限界時間の目安を表したものです。前の睡眠から起きた後、どのくらいのタイミングで次の睡眠がとれると寝つきやすいかの目安です。

こちらはあくまで目安であり、この通りに寝かしつけなくてはいけないものではありません。同じ赤

月齢	起きてから次の昼寝までの目安
0〜2ヵ月	〜1.5時間後
2〜4ヵ月	1.5〜2時間後
4〜6ヵ月	2〜3時間後
6〜8ヵ月	2〜3.5時間後
8〜12ヵ月	3〜4時間後
12〜15ヵ月	最大4〜5時間後
15ヵ月〜3歳	最大6時間後

（3歳からは徐々にお昼寝の必要がなくなる子も出はじめます）

※Consultant of Infant Sleep Association（CISA）の提供している情報をもとに、月齢別の区分けを細かくアレンジしています

ちゃんでも1日の中の時間帯によって長くなったり短くなったりもしますし（起床～朝寝は短いことが多い／夕寝～就寝が短めな子もいます）、運動量が多かったり刺激的だったりすると短めになります。夜の睡眠が長い子は昼寝の必要量が少なく、長く起きていられる傾向があります。

うまくいっていれば全て良しです。短すぎるからと気に病むものでもありません。寝ぐずりがひどかったり、夜泣きをしていたり、うまくいかないことがあったときに見直す指標としてください。

月齢別・1日のトータル睡眠時間を知っておこう

赤ちゃんにご機嫌でいてもらうために大切なのは、1日のトータル睡眠量です。夜の睡眠が長めの子は昼寝が少なくてもご機嫌で過ごせることもありますし、反対に夜の睡眠を長くとるのが苦手な子は昼寝で補っていることもあります。

「うちの子は睡眠不足？」と心配になる方もまずはトータルの睡眠量を確認してみましょう。月齢の目安以上に睡眠を多く求めすぎてしまっていて、うまくいかないと感じているケースもあります。

下の表を参考に、睡眠スケジュールを見直してみて下さい。

月齢	1日の睡眠時間	夜の睡眠時間	日中の睡眠時間（昼寝の回数）
0～2ヵ月	14～17時間	8～10時間	4～7時間（たくさん）
2～4ヵ月	14～17時間	9～11時間	4～6時間（3～5回）
4～6ヵ月	12～15時間	9.5～11時間	2.5～5時間（3～4回）
6～9ヵ月	12～15時間	9.5～11時間	2.5～4時間（2～3回）
9～12ヵ月	12～15時間	10～12時間	2～3時間（2回）
12～18ヵ月	11～14時間	10～12時間	2～3時間（1～2回）
18ヵ月～2歳	11～14時間	10～12時間	2～3時間（1回）
3歳～5歳	10～13時間	10～13時間	0～2時間（0～1回）

※1日の睡眠時間はアメリカ国立睡眠財団を参照。日中と夜間の割り振りは目安です。

夜、なかなか眠れないのはお昼寝のせいなの？

「お昼寝をしすぎているから、夜しっかり眠れないのでしょうか？」

「お昼寝が足りないから、夜泣きしてしまうのでしょうか？」

この2つはどちらもよく聞かれる質問ですが、反対のことを言っていますよね。ねんねトラブルを解消するためにはお昼寝をたっぷりしたほうが良いのか、それとも少なめにした方が良いのか、ママやパパを悩ませているポイントの1つです。

答えは…どちらも正解です！（どーん）
たとえば、1日13時間の睡眠がちょうど良い子がお昼寝を4時間していたとします。残りは9時間なので、20時に寝かしつけても5時には起きてしまうことになります。このケースの場合、起こりやすいトラブルは早朝起きだけではありません。午前2〜4時の間に起きて遊んでしまうということも考えられます。
反対に昼寝が足りないケースを出してみましょう。生後4カ月の赤ちゃんの昼寝が9

〜10時の1時間と14時〜15時の1時間だったとします。月齢の目安と比べて昼寝の回数が少なく時間も短いうえに、仮に就寝が19時だったとしても昼寝から就寝まで4時間空いてしまうことになります。これでは疲れすぎてしまって、寝ぐずりをしたり夜中に泣いて起きやすくなったりする影響が考えられます。

夜しっかり寝てもらうためにも昼寝は重要な役割を担っています。長すぎ、短すぎ、どっちもよくないなんて難しすぎると思ってしまうかもしれませんが、1ミリも一度も崩してはいけないルールというわけではありません。P47やP49を見ながらできるだけの範囲で調整してみてくださいね。

column

眠くなさそうで、お昼寝できない

なかなかお昼寝してくれないと「早く寝かさなきゃ！」と焦ってしまいますよね。

月齢別の寝かしつけタイミングの目安（P47）はご紹介しましたが、中には長く起きていても機嫌良く過ごせる子もいます。特に夜長く寝ている子や、体が大きめな子にその傾向があります。

寝かしつけをはじめたけれど、全く眠くなさそうであれば一度切り上げてしまってOK。リビングに戻って、機嫌が良ければ30分ほど様子を見て、寝かしつけを仕切り直します。グズグズしてしまうのなら、やはり眠い証拠。あらためて寝かしつけを再開します。

月齢ごとのスケジュールや寝かしつけ目安と異なっていても、機嫌良くねんねトラブルもなく過ごせていればそれで良いのです！トラブルがあるときに見直す指標にしてくださいね。

4章

寝室・明るさ・着るもの・音…

赤ちゃんがどんどん寝たくなる前準備とは

親も赤ちゃんも安心・安全な寝室の条件

赤ちゃんに、自分で寝る力を身につけてもらいたいなら、寝室の安全確保は欠かせません。

大人のベッドで寝かせている皆さん（過去の私もそうでした）、転落してしまわないか心配になりませんか？　赤ちゃんがベッドの端っこにいったら「よいしょ」と戻したくなりますよね？　そう、心配事があると、大人はついつい手を出してしまうのです（そして起こしてしまう…）。

大人が手出しをすることなく、ねんね力を養うためにも転落や窒息などの心配のないように、寝室の環境を整えていきましょう。

ベビーベッドもしくはお布団を使用し、マットレスや敷布団は沈み込みの少ないかためのものにしましょう。やわらかすぎる敷布団は顔が埋まって窒息のリスクがあるだけでなく、動きが取りづらくてグズる要因になったり、未発達な骨や筋肉をしっかり支え

きれず成長に影響が出たりする恐れもあります。

敷布団だけでなく、掛け布団にも注意が必要です。**0歳の赤ちゃんには掛け布団は不要です。**鼻や口をふさぐことによる窒息のリスク、温めすぎによる乳幼児突然死症候群のリスクになりかねないためです。**布団を掛ける代わりに、おくるみやスリーパー、スリーピングバッグなどを使用するようにしましょう。**

【こちらもチェック!】

・地震対策は大丈夫? 上から落ちてくるものや倒れてくる棚はない?

・ひっかかるものはない? (お布団の場合)電源コードに注意

・赤ちゃんの手が届く範囲に誤飲してしまうような小物はない?

・ベビーモニターがあると安心!

安全な睡眠環境

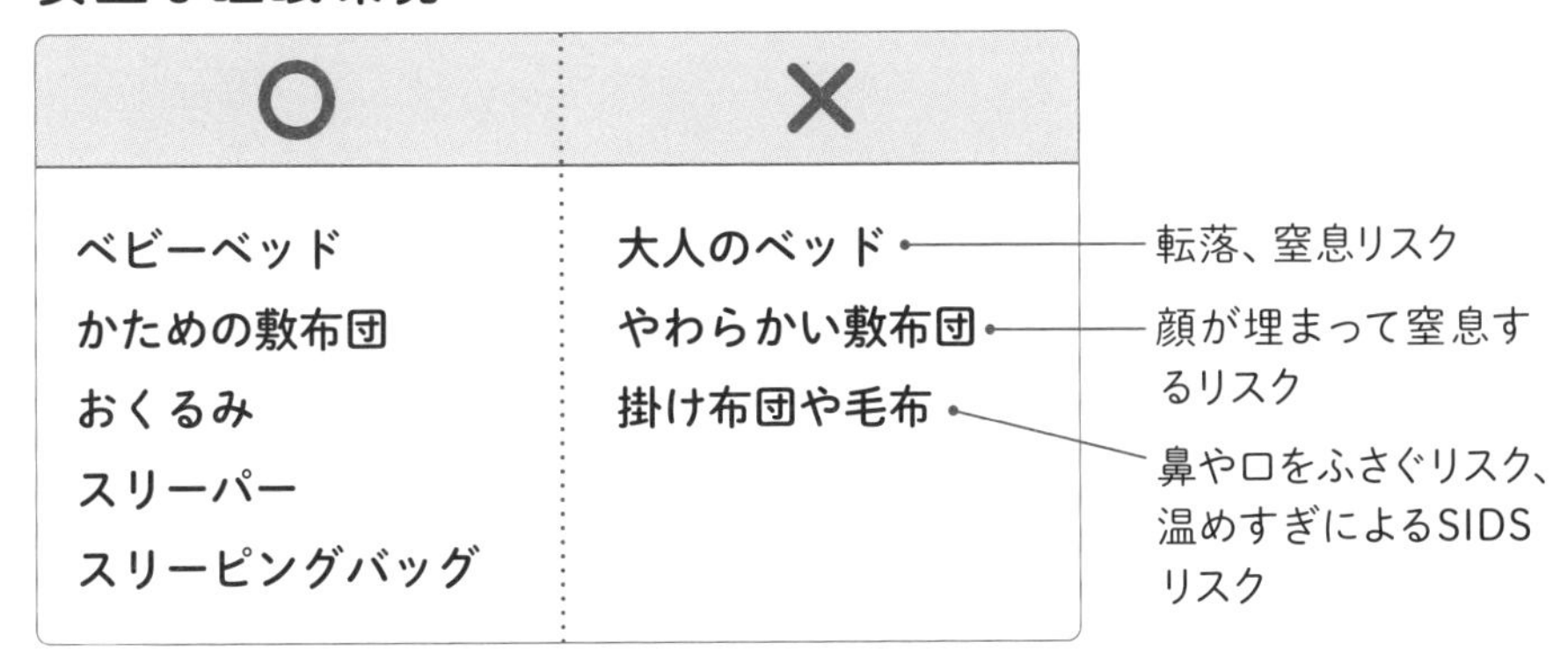

○	×
ベビーベッド	大人のベッド
かための敷布団	やわらかい敷布団
おくるみ	掛け布団や毛布
スリーパー	
スリーピングバッグ	

乳幼児突然死症候群（SIDS）とは？

乳幼児突然死症候群（SIDS：Sudden Infant Death Syndrome）とは、何の予兆や既往歴もないまま、赤ちゃんが突然亡くなってしまう病気です。厚生労働省によると、令和元年には78名の乳幼児がSIDSで亡くなっており、乳児期の死亡原因としては第4位となっています。

厚生労働省では予防のために3つのポイントを掲げています。

①1歳になるまでは、寝かせるときは仰向けに寝かせましょう
②できるだけ母乳で育てましょう
③たばこをやめましょう

母乳育児については、比較したときにSIDSの発症率が低い研究結果が出ているために推奨されていますが、ミルクではいけないということではありません。SIDSは原因がはっきりしていないのですが、いくつかのリスクが重なり合って発生すると考えられており、そのリスクは世界の研究によって他にもわかっていることがあります。母乳育児ではなくとも、他の項目でリスクを減らすことはできます。

左記はアメリカの小児科学会で、SIDS対策を含めた安全な睡眠のために推奨されているポイントです（厚生労働省と重複するものは除く）。

- 1歳までは仰向けで寝かせる（寝返り・寝返りがえりがスムーズにできれば無理に戻さなくても良い※ただし安全な環境であることは必須）
- かためのマットレス（敷布団）を使用し、シーツはゆるみなくかける
- 親と同室で別の寝床で寝ること（理想は1歳、少なくとも6ヵ月まで）
- 睡眠エリアに枕や掛け布団などやわらかいものを置かないこと
- （母乳育児確立後）おしゃぶりの使用を検討すること
- 妊娠中および出産後のアルコールや違法薬物の使用は避けること
- 温めすぎ、頭を覆うのは避けること
- 親の目があるところでタミータイム（うつ伏せあそび）をすること

すべて完璧にすることは難しかったとしても、できるものから取り組むことでリスクは減らせます。赤ちゃんの安全と健康のために、ぜひ見直してみてください。

添い寝派は必見！ お布団ねんねを快適にする方法

布団は転落の心配がないので安心！　しかしその一方で、赤ちゃんがどこにでも自由に動き回れてしまうために困ってしまうこともあります。

［布団で困ってしまうこと］

❶親との境界が曖昧になりがち

どこまでが親の布団でどこまでが赤ちゃんの布団かの認識がしづらいため、寝返りをうちながら親の布団に転がってきてしまうことが多くあります。

そうなると親を触りながら眠るクセがついてしまいやすくなるだけでなく、親の掛け布団がかかってしまったり、やわらかい敷布団に寝てしまったりして窒息や乳幼児突然死症候群のリスクが高まることも心配されます。

また、赤ちゃんのダイナミックな寝相で顔や体を蹴られたり、踵落とし（かかと）をされたりと親の安眠が妨害されることによるご相談もよくいただきます。

こういった場合、物理的に境界線を設けるのがおすすめです。
赤ちゃんの敷布団をベビーサークルで囲い、床置きのベビーベッドのように設置することで、親の布団への侵入を防ぐことができます。

「ペットの檻のようでかわいそう」と思われるかもしれませんが、赤ちゃんはもともとママのお腹の中という狭いところに10ヵ月もいたので、狭くて囲われているところに安心感を覚えます。反対に広すぎると、大人が旅館の宴会場で「どこに寝てもいいよ！」と言われているような何とも落ち着かない感覚を感じてしまうことも。

ベビーサークルで囲ったスペースを、「ここがあなたの場所だよ」と示してあげることは、安心感につながります。かわいそうではないですよ！

❷誤飲や危険物との接触リスク

お布団では自由に動き回れる範囲が大きくなるので、電源コードに引っかかったり、口に入れてはいけないものを飲み込んでしまったりする危険も考えられます。

①と同じように布団をサークルで囲む方法であれば解決できます。添い寝を希望される場合は、触ってほしくないものをサークルで囲むのも有効です。

衣類ケースや調乳セット、加湿器や空気清浄機などを部屋の一方に寄せて、布団との間にベビーサークルを用いることで、赤ちゃんが触ってしまうのを防ぐことができますよ！

朝までぐっすり！寝室を真っ暗にするコツ

これまでも何度か触れてきましたが、光にはヒトを覚醒させる作用があります。寝室に明かりがついていると、その光を見て赤ちゃんが寝づらくなったり、夜中にふと目が覚めたときに光が目に入って眠気が覚めてしまったりする可能性があります。

そのため、寝室は真っ暗にしておくのがおすすめです。窓には遮光(しゃこう)カーテンを設置し、マンションの廊下の明かりや朝日が差し込むのを防ぎましょう。

遮光カーテンと一くくりにいっても、完全遮光・一級遮光・二級遮光・三級遮光と等級（遮光性能の高さの違い）があります。おすすめは完全遮光または一級遮光の暗い色のカーテンです。遮光と名前がついていても、光が漏れてしまうこともあるので、その場合は買い替え、または遮光カーテンライナーという裏地をつけることで対策できます。

一筋の光に反応して覚醒してしまうこともあるため、朝日の光が漏れて早朝に起きてしまうトラブルが続く場合は、カーテンやドアの隙間をふさぐ対応もおすすめです。

・カーテンからの明かり漏れの対応策

・カーテンレールの上に折り返したバスタオルを設置
・カーテンを簡易リターン仕様にする（※簡易リターン仕様とは、二重になっているカーテンレールの端を内側のレースカーテンの端にひっかけて、横からの光漏れを防ぐ方法です）
・カーテンの横にマジックテープを設置する
・左右のカーテンの隙間をクリップで留める
・カーテンの下にクッションを置く

見落としがちですが、窓だけではなくドア側からの明かり漏れにも注意が必要です。廊下やリビングから明かりが漏れている場合はそちらも遮光対応をすると良いでしょう。

・ドアからの明かり漏れの対応策

・すりガラスには遮光シートを貼る
・ドアの隙間には遮光マスキングテープを貼る

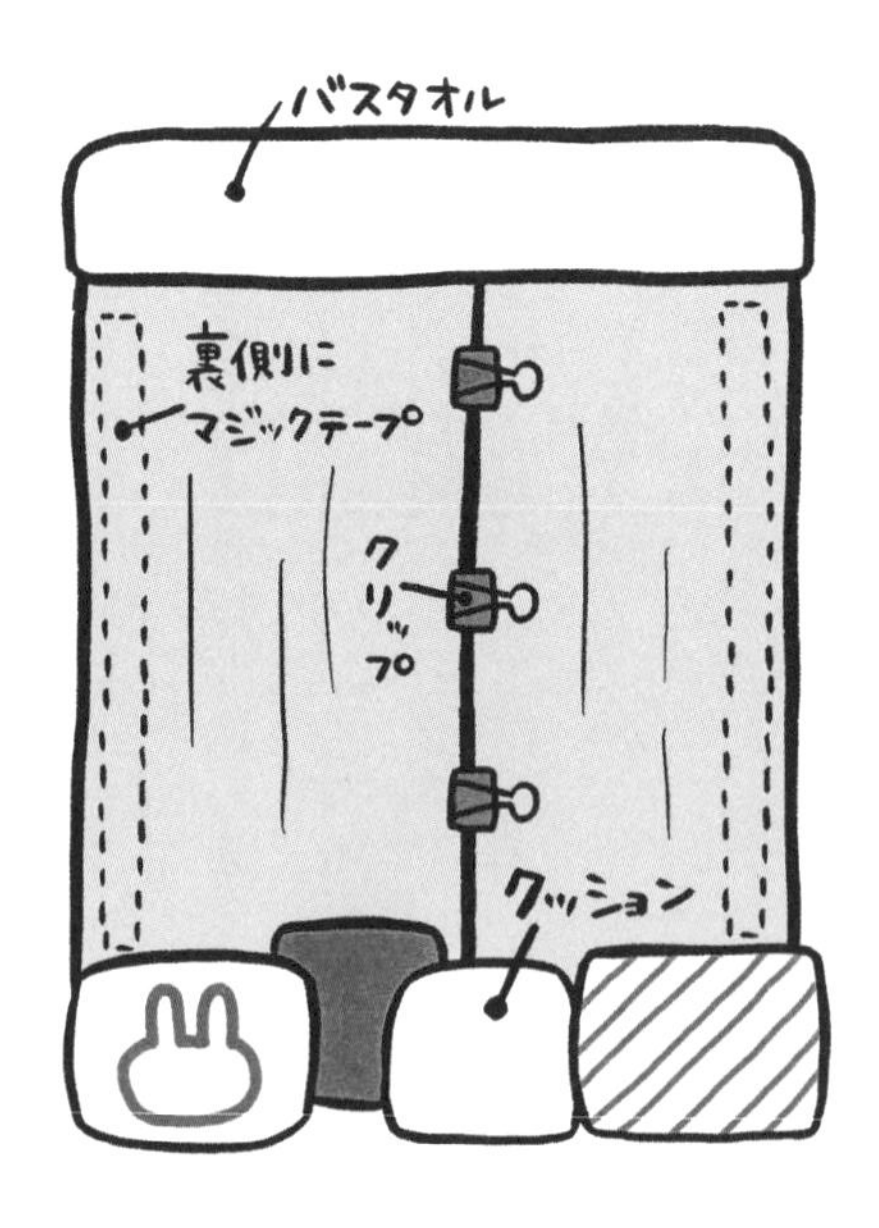

夜間の授乳やおむつ替えなどのために明かりが必要な場合は、暖色系の薄暗いライトを使用するようにしましょう。設置場所は赤ちゃんの視界に入る位置ではなく、ベビーベッドの足元側の下やクッションの裏など工夫できると、覚醒につながりづらくなります。

赤ちゃんが寝ついた後に寝室に出入りする場合も、できるだけ光が差し込まないように注意しましょう。「廊下の電気を消してから寝室のドアを開ける」など家族内でルールを決めると良いですね。

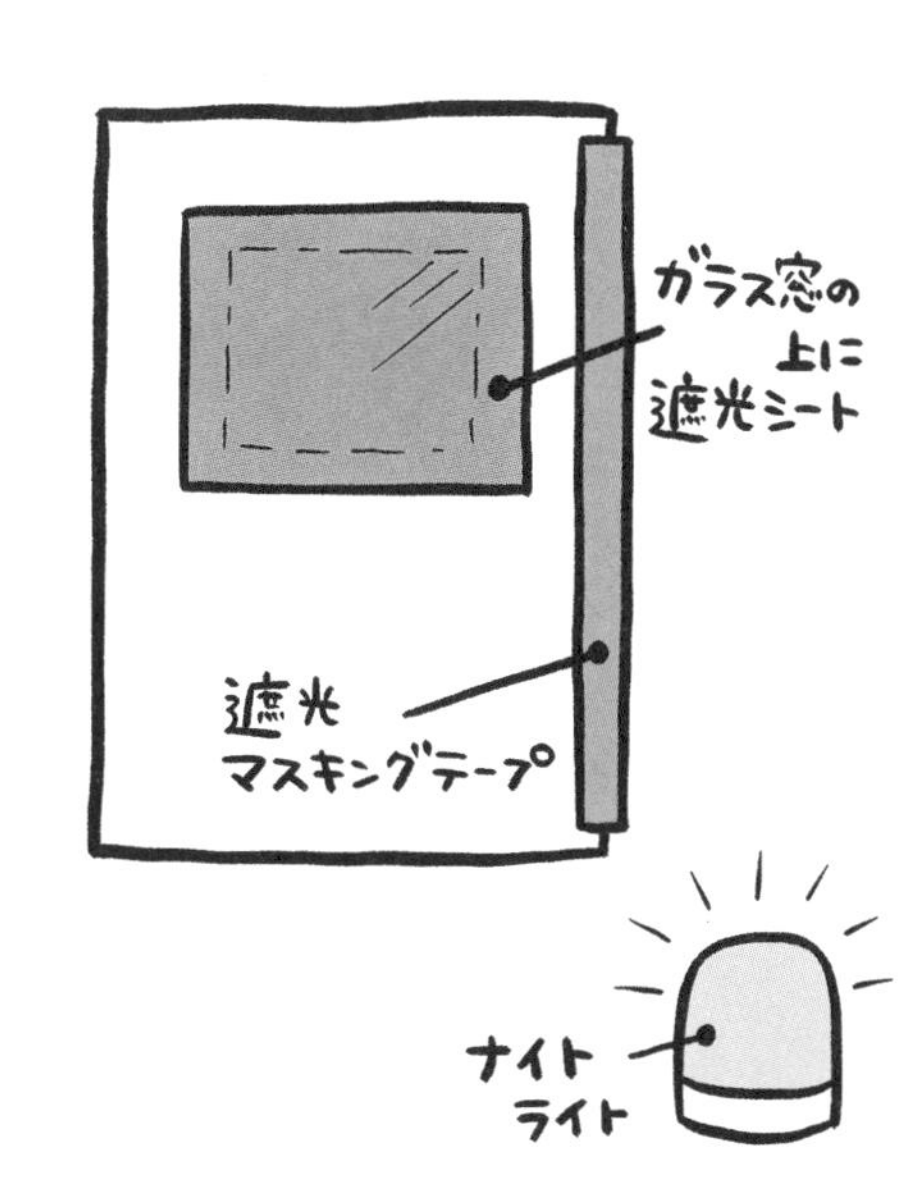

明かりをつけっぱなしにしておくか、その都度消すかは赤ちゃんの様子を見ながら工夫しましょう。眠りが浅くなったタイミングで「寝るときについていた明かりが消えている！」とびっくりして泣いて起きてしまう子もいます。また、夜間に明かりをつけたり消したりすることが刺激になって、覚醒してしまう子もいます。そうした場合は、寝かしつけから朝まで、薄暗い明かりをつけっぱなしにしておくのがおすすめです。

赤ちゃんを起こす音には、「音」で対抗する！

やっとウトウトしてきたのに、テレビの音やキッチンでお皿を洗う音をもらしてしまいまた泣き出してしまった！　という経験、ありませんか？

急な物音は赤ちゃんをびっくりさせて、眠りから遠ざけてしまう要因のひとつ。眠っているときに起こしてしまう要因でもありますね。

そういった物音の対策になるのが「ホワイトノイズ」です。ホワイトノイズとはザーーーー、サーーーーーーーといったようなテレビの砂嵐の音、サラサラサラという川の流れのような音などの一定の音が連続して流れるノイズ音を指します。

市販のホワイトノイズマシンを使い、**この音を寝室でかけておくことで音の壁となり、急に出た大きい音などをかき消してくれる効果があります。**

しーんとした部屋で、突然お皿が「バリーン！」と割れたら、飛び上がるほどびっくりしますよね？　でも、ガヤガヤしたレストランの厨房で突然お皿が「バリーン！」と割れても、「あ、割れたなー」くらいに感じませんか？ そういったイメージで、一定の音がしていたほうが突然の音もかき消されやすいのです。

さらに、低月齢の赤ちゃんには別の効果もあります。ホワイトノイズはママのお腹の中にいたときの音に似ている音とも言われています。そのため、新生児〜4ヵ月くらいまでの赤ちゃんは特に、この音を聴くと安心して眠れるのです。

ホワイトノイズ以外にもピンクノイズ・ブラウンノイズなどと呼ばれる音もあります。音の種類は若干異なりますが、すべて同様の効果が期待できます。

・オルゴールではいけないの？

オルゴールや音楽の場合はメロディーがあるので、音が気になりやすくなる可能性があります。また、夜中にふと目が覚めたときに「鳴っていたはずの音楽が止まっている！」と驚いて目を覚ますきっかけになりかねません。

就寝前のリラックスタイムとしてオルゴールをかけるのは良いことなのですが、寝つく前には消音するように徐々に小さくしていけると良いでしょう（オルゴールをかけて寝かしつけて、夜泣きもなく眠れるのであればそのままで問題ありません）。

赤ちゃんが快適に眠れるベストな室温・湿度・着るもの

スムーズに、そしてぐっすり眠ってもらうためには部屋の暑さや寒さも重要なポイントです。大人でも真夏の暑い日にエアコンをかけずに寝ようとすると、暑くてなかなか寝つけませんよね？

赤ちゃんは大人よりも暑がりですので、より気を配ってあげると良いでしょう。**夏は25〜27℃、春秋は20〜22℃、冬は18〜20℃設定を目安にエアコンなどで調節ができると過ごしやすくなります。**

また、見落としがちなのが湿度。涼しくしているつもりでも湿度が高くジメジメしていると、蒸し暑くて不快に感じやすくなります。反対に乾燥していると病気にかかりやすくなったり、肌にダメージを受けやすくなったりする心配もあります。**夏は湿度40〜60％、冬は50〜60％を目処に調整できると良いでしょう。**

これらの数字はあくまでも目安です。大人が過ごしやすいかどうかの感覚も大事にして下さい。

15〜17℃	18〜21℃	22〜23℃	24〜25℃	26℃〜
肌着 ＋ 長袖パジャマ ＋ スリーパー （フリース素材など）	肌着 ＋ 長袖パジャマ ＋ スリーパー （4〜6重ガーゼ）	半袖パジャマ or 薄手の 長袖パジャマ ＋ スリーパー （4〜6重ガーゼ）	肌着 or 半袖パジャマ ＋ スリーパー （ダブルガーゼ）	肌着 or 半袖パジャマ

※〜生後3ヵ月頃まではスリーパーのかわりにおくるみ

表は室温と服装の目安です。**掛け布団や毛布は使用しない想定です**（P54で説明した安全のため）。あくまで目安なのでまるっきりこの通り着せてくださいということではありませんよ。

たとえば室温20℃で長袖肌着＋長袖ロンパース＋フリーススリーパーと着せている場合は暑すぎの可能性があります。汗をかいていないか、寝苦しそうにしていないか、様子をみて確認してみましょう。

おくるみ＆スリーパーを最大限活用しよう！

掛け布団をしない代わりにおくるみやスリーパーを活用できるとよいでしょう。低月齢の赤ちゃんはおくるみに包まれて安心できることが多いですが、中には包まれることを好まない子もいます。スリーパーなども同様に好まない子もいるので、嫌がる様子なら無理に着せず下着をプラスするなどで対応しましょう。

おくるみの包み方が不快だったり、スリーパーのサイズがあっていなかったりすることが原因で嫌がっていることもあります。**特におくるみは包み方を間違うと股関節脱臼につながりかねない**ので、心配な方は出産された病院や助産師さんなどに聞いてみましょう（助産師さんや専門の方が開催されている教室もありますし、自宅まで出張訪問を受け付けている助産師さんもいらっしゃいます）。

・おくるみ

新生児〜生後3ヵ月頃まではおくるみが有効です。ママのお腹の中にいたときのよう

に包まれて、安心して眠ることにつながります。夜だけおくるみにするのも昼との違いが明確になって良いでしょう。昼寝の寝つきが悪くて解消したいということであれば、昼寝の際もおくるみをして構いません。長く寝過ぎてしまうようであれば、昼はやめていきましょう。

毎度くるむのが面倒、暴れてうまくくるめない、くるみ方がわからないという方には面ファスナータイプやジップアップタイプのおくるみがおすすめです。いずれも首がすわって寝返りを打ちそうになる前には卒業していきましょう。おくるみをした状態で寝返りをしてしまうと、うつ伏せのまま動けなくなってしまうため危険です。

赤ちゃん自身が手足を動かしたくて泣くようになるケースもありますので、そういった場合はおくるみを脱がせてあげることで解決することもあります。

・おくるみの卒業

「おくるみではすやすや寝てくれるけれども、脱がせた途端に寝ぐずりしてしまうよう

おくるみ → 半ぐるみ → 卒業

になった！」という声は多く聞かれます。おくるみ卒業の際は手を出していく「半ぐるみ」という状態を経て、徐々に慣らしていくのがおすすめです。

・スリーパー

スリーパーは着るお布団としての役割を持ち、寝相の悪い子でもはだけることなく朝を迎えられるアイテムです。

足元の開いているスリーパータイプと、足元が袋状になっているスリーピングバッグタイプがあります。足を動かしたい子やたっちのはじまった子はスリーパータイプが良いでしょう。おくるみを卒業したてで包まれていることに安心する子や冬に室温が低くなってしまうご家庭の場合はスリーピングバッグがおすすめです。

最もベーシックなのは4〜6重ガーゼやタオル素材のもので、夏の暑い日以外はシーズン通して使用が可能です。

夏はパジャマや肌着のみで寝てもＯＫですし、エアコンによる寝冷えが心配でスリーパーを着せるならダブルガーゼやメッシュタイプなど薄手のものにすると良いでしょう。

寒い冬には室温に合わせて、フリースなど温かい素材のスリーパーを導入するのもおすすめです（目安はＰ67の表を参照）。

部屋を出るとすぐ泣いちゃうなら「いなくなるからね」作戦！

寝かしつけてからそっと部屋を出ようとしても、エスパーのように勘づいて泣き出す赤ちゃんたち。その勘のするどさといったら…思わず感心してしまうほどです。

赤ちゃんはもともと大人よりも眠りが浅く、少しの刺激でも起きやすい状態にあります。それに加え、寝かしつけのタイミングが遅いと睡眠の質が下がり、さらに起きやすい状態になってしまいかねません。

また、なんとかママやパパが部屋を脱出しても、睡眠サイクルの切れ目では浅く赤ちゃんの目が覚めるため、そこで「ママ（パパ）はいるかな?」と確認をして「いない！」と気づいて泣くということが起こります。

ここでびっくりして泣いてしまうのは赤ちゃんが「ママ（パパ）は一緒に寝てくれるもの」と思っているからです。**寝たときは一緒にいてくれて、その後も一緒にいてくれ**

ると思っていたのに〝いなくなっている〟という変化に驚いてしまうのです。赤ちゃんからすれば「一緒にいるいる詐欺」をされている感覚かもしれませんね！

これを解決するためには、**最初からいなくなる or いなくなることを知らせておく**対応が有効です。親が寝室を出ていっても泣かないようであれば、寝つく前に出ていきましょう。

泣いてしまう場合はそばにいてあげて構いませんが、まるで「一緒に寝ますよ」という素振りをして横になるのではなく、座ったり立ち上がったりして**一緒には寝ないアピール**をしておきましょう。

お話がわかる月齢であれば「ねんねするまでは一緒にいてあげるからね。ねんねしたら隣の部屋でちょっとお仕事するけど、そこにいるからね」などと、声がけをしてあげるのも良いですよ。

column

真っ暗の部屋はクセになる？

寝室を真っ暗にして寝かせている方からよく受ける質問として「暗いところでないと寝られなくなってしまうのではないか」という心配が挙げられます。

暗い場所でなく寝るシチュエーションとしては外出先や保育園などが想定されます（保育園では安全管理のため真っ暗にはしません）。うまく寝られない場合に「もしかすると家で真っ暗にして寝ているから、そうでないと寝られなくなってしまったのかも…」と心配される方も多いのですが、そういうときは寝られない理由が他にあることも少なくありません。

外出先の場合、外の音や景色が気になってしまって寝られない可能性が高いです。小さいうちは抱っこ紐やベビーカーでよく眠って

column

くれていた子が、成長したら眠れなくなってしまうのは感覚が発達してそれまで気にならなかった明かりや景色、人の気配などを刺激として感じるようになったためです。

保育園の場合、入園してから間もないと場所や先生に慣れていないために昼寝がうまくとれないことが多いです。大人でも初めて訪問した知らない人の家でぐっすり眠れるかと言われると、眠れないですよね。安心できる環境で信頼できる人だと認識できるまでは、なかなか眠るのが難しいものです。

真っ暗でない環境でも先生が昼寝の時間に向けて眠りに誘導してくれて、周りのお友達もみんな寝るので、慣れれば徐々に寝られるようになりますよ。

5章

ひとりで寝られるようになる「ねんねトレーニング」とは？

〝入眠のクセ〟をとってねんね力アップ！

我が子の入眠のクセ「これがないと眠れない」を知ろう

問題解決のスタートは現状を知ること。夜泣きなどのねんねトラブル解決のために、まずはお子さんにどのような入眠のクセがついているのか、分析してみましょう。

入眠のクセとは「これがないと眠れない」というような睡眠と別の行為（モノ）が結びついている状態のことを指します。このクセが夜中に何度も泣いて起きる原因になっているかもしれません。

ママやパパが楽に寝かしつけられて困っていないのであればそれでOK（安全性には注意）。ですが、トラブルがある場合はクセをとることが有効です。

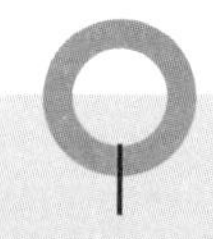

代表的なクセ

- おっぱい／ミルクを飲みながら寝落ちするクセ
- 抱っこで寝るクセ
- ママ／パパのお腹の上で寝るクセ
- ママ／パパにくっついて寝るクセ
- おしゃぶり

「入眠のクセ」があるとなぜ起きる？

入眠のクセがあると夜中にふと目が開いたときに自分で眠りに戻ることができないため、泣いてしまいやすくなります。

いつも抱っこで寝ている子の場合、「寝る＝抱っこ」だと頭の中にプログラムされてしまっているので、夜中に目が覚めたときに「眠いからまた抱っこしてもらわないと！」と泣いてママやパパを起こして抱っこしてもらおうとするのです。

実は大人も赤ちゃんも夜中に何度か目を覚ましています。私たちは朝までずっとぐっす

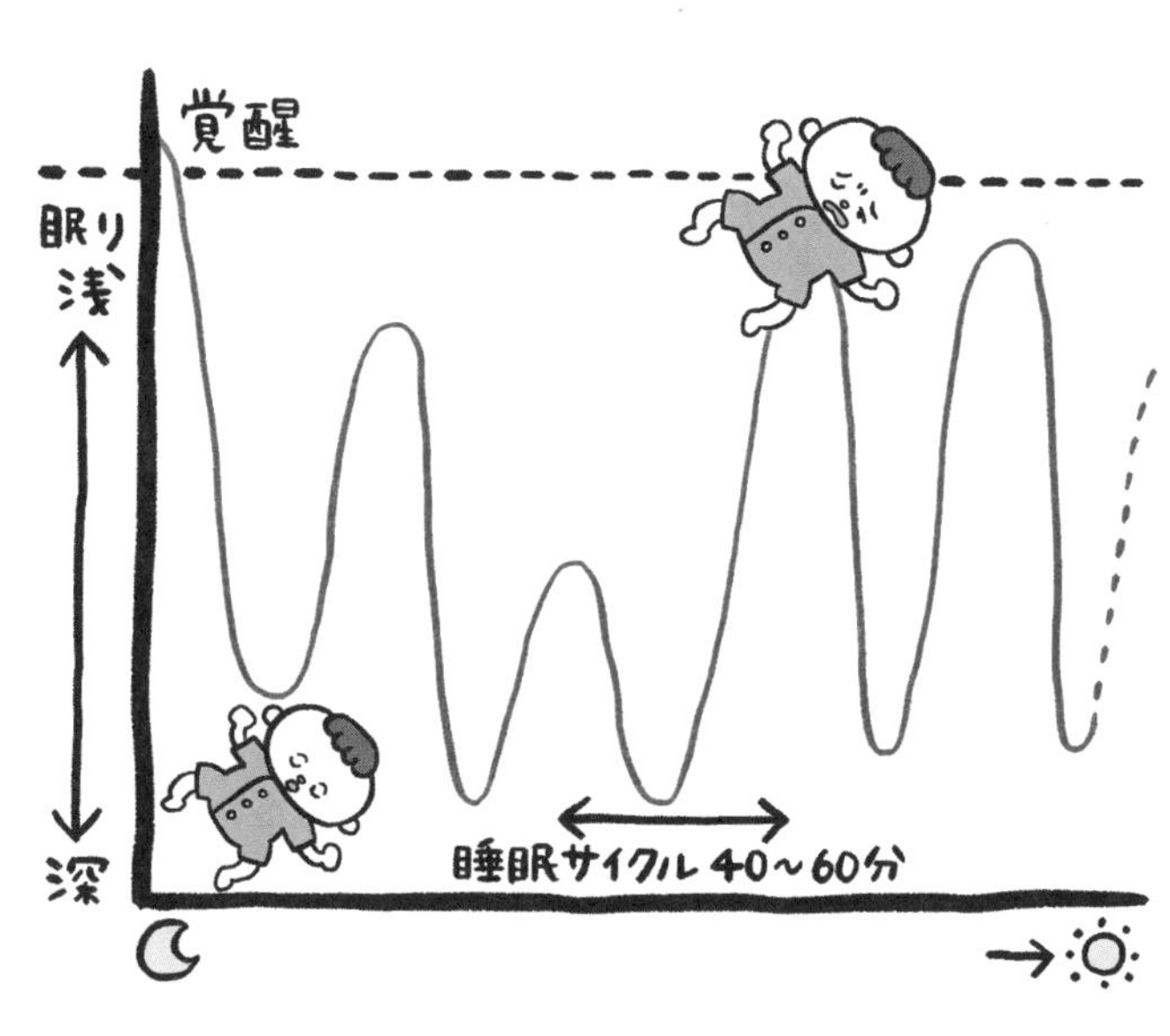

り眠っているようですが、波のようなサイクルで深い眠りと浅い眠りを繰り返して寝ています。これを睡眠サイクルと呼びます。

大人では約70〜110分、赤ちゃんでは約40〜60分を1周期として繰り返しており、その2〜3サイクルに1回は浅く目を覚ましています。そのとき、大人のように自分で寝る力があればそのまま再入眠できるのですが、**入眠のクセがある赤ちゃんは自分の力で眠りに戻れないために泣いて寝かしつけてもらおうとしてしまいます。**はじめは浅い覚醒だったとしても、泣いているうちにすっかり覚醒してしまったり、パニックになってヒートアップしてしまったりすることもあります。これが夜泣きです。

さらに、たとえば抱っこで寝るクセのある赤ちゃんは、起きていた最後の記憶では抱っこをされていたのにふと目が覚めたらベッドや布団におろされているという驚きも加わり、より夜間に起きやすくなってしまうのです。添い乳や添い寝、おしゃぶりなども同様です。

そのため、入眠のクセをとって自分で寝るためのねんね力をつけさせてあげることが重要なのです。

赤ちゃんの「ねんね力」を引き出すコツ

「うちの子に限って、自分で寝られるようになんてなるわけがない」

人一倍大きな泣き声、長時間のグズグズに悩まされてきたママやパパはそう思ってしまいますよね。確かに、寝るのが上手・下手の個性はあります。もともと持っている気質的に他の子よりも刺激に敏感だったり、何時間でも泣き続ける根性があったりするものです。

しかし誰でもねんね力は持っています。

いまはその力を発揮できていないだけで、自分で寝るための力は赤ちゃんの中にあります。それを高めて、発揮させてあげられるかどうかなのです。

たとえば「つかまり立ち」を覚えるとき、「ここにつかまって膝に力を入れて！」など細かく指導せずとも、赤ちゃんは興味があるものに近づくために、周囲の環境からつかまれる場所を探して練習し、自然に発達することができます。ねんねもそれと同じなのです。

ねんね力を高めるためには、〝自分で寝よう〟という意思を引き出す環境を用意すること、そのためにねんねの納得度や寝やすいリズム・環境を整えることが必要なのです。

そして「泣いても抱っこはしてくれないようだから、ここで寝なくちゃいけないんだ」と赤ちゃん自身が自分で寝る力を発揮できるようにしてあげることが、ねんね力の向上と発揮につながります。

これまで抱っこや添い乳でしか寝たことのない赤ちゃんたちは、自分の力で寝る機会を与えられてこなかったのです。

ねんね力を高めるため、「①寝かしつけのときはまず寝床に置いてみる」「②寝ている間に泣き出しても2～3分は様子を見てみる」を習慣づけましょう。

そして、「抱っこじゃなくても」「おっぱいを飲みながらじゃなくても」寝られた！という経験をすることが赤ちゃん自身にとって気付きと学習になります。徐々に、1週間に一度だった成功が二度になり、三度になり…と成功体験が増えることでねんね力を養っていくことができます。

親のサポートを減らす「寝る練習」をはじめよう！

寝る練習をさせるからといって、いきなりねんねトレーニングに取り組むのはおすすめしません。2〜4章でお伝えしてきたような眠りやすい前提条件を整え、変化をみてみましょう。

ねんね改善の第一歩としてやってみていただきたいのは、寝かしつけのサポート度合いを下げる「クセとり練習」です。

もし今、授乳で寝かしつけをしている場合、ファーストステップとしては抱っこをしても良いので、授乳以外で寝かしつけることにチャレンジしてみましょう。それでも階段は一段上っ

弱

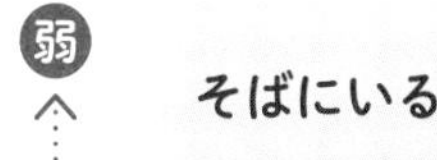

声かけ（例）シーッシーッという声かけで寝る

トントン・なでなで（例）背中トントンで寝る、親の腕枕で寝る

抱っこ（例）抱っこでゆらゆら、バランスボールで跳ねる

授乳・ミルク（例）授乳で寝落ち、添い乳

親のサポート

たことになります。

抱っこゆらゆらで寝かしつけている場合、寝床におりた状態で寝られるように練習をしていきましょう。トントンやなでなで、手を繋ぐなど触れ合いのある寝かしつけです。

この寝かしつけサポートの階段は一段ずつ上らなくてはいけないものではありません。飛ばして改善していくこともあります。

寝る練習をするときのステップとして、頭に入れておいてくださいね。

Point

新しい寝かしつけの練習をする場合は、夜の就寝時から取り組むようにしましょう。夜のほうが眠りの力が強いためです。

「授乳しながら寝落ち」をやめさせるには?

【授乳で寝落ちのクセをとるステップ】

①寝る前におっぱいを外して口を閉じる
②授乳をルーティーンの最後ではなくす
③寝床におりて(ダメなら抱っこで)寝る練習をする

ステップ①(低月齢向け)

もし赤ちゃんが眠るために長々とおっぱいや哺乳瓶を吸っているのであれば、まずはそれを口から外すトライをしてみましょう。

赤ちゃんが食事として飲むのを終えて、もう寝つくためにチュパチュパしているだけになったと感じたら、**赤ちゃんの唇とおっぱい(哺乳瓶)の間に端から指を差し込んで口を外します。**赤ちゃんはびっくりして泣いてもう一度吸おうとするかもしれませんが、一旦顎(あご)をおさえて口を閉じます(もう終わりだよの合図)。このとき、必要に応じて抱っこをしたりトントンをしたりしてあやしても構いません。

寝つけそうであれば、そのまま寝床におろしましょう。

泣き続けるなら再度飲ませますが、寝る前にはまた外して顎をおさえるのを繰り返し、寝床におりて寝られるまで繰り返します。最初のうちは寝つかせるまでに5回以上の繰り返しが必要になるかもしれませんが、数日後には寝る前に外すのが楽になってくることが期待できる方法です。

ただし、この方法には向き不向きがあり、短時間の授乳を「からかわれている！」と怒ってしまう赤ちゃんもいるので、ステップ①の方法が合わない場合、もしくはもう授乳での寝かしつけをやめていきたいと考えている場合は、ステップ②③を試してみることをおすすめします。

ステップ②

現状では就寝ルーティーンの最後に授乳があり、飲みながら寝ることが当たり前になっています。この認識を断ち切り、飲みながらでなくても寝られることを教えてあげるために、授乳と寝かしつけを物理的に切り離していきます。

具体的には、**ルーティーンの最後にしている授乳を、前半にして順番を入れ替える**のです。現状のルーティーンが「お風呂→スキンケア→絵本→寝室に行く→**授乳**→就寝」

だとしたら、それを「お風呂↓スキンケア↓**授乳**↓絵本↓寝室に行く↓就寝」と変更します。そうすることで、授乳と就寝が切り離されて別々の行為として認識させていくことができます。

［注意点］ 必ずしも授乳をリビングでしなくてはならないということではありません。お風呂後、寝室に直行されている方は寝室で授乳をする流れでOKです。ただし、どうしても寝落ちしてしまう場合は疲れすぎている可能性を考慮してお風呂から時間を前倒しする、もしくは少し明かりをつけて寝落ちを防ぐようにしてみてください。

ステップ③

ステップ②のように授乳を前半に持ってきたら、寝かしつけは授乳以外ですることになります。

泣き止まないからやっぱり授乳しよう…という行動は混乱を招くのでやめましょう。**とにかく授乳以外の方法で寝かせる（サポートの段階をステップアップする）ことを目標に取り組みましょう。**

最初のうちはルーティーン前半の授乳で少しうとうとさせた後に、スリーパーを着せるなど別のアクションを半寝状態で手早く入れて、かなり眠い状態で寝床に置いてトントンをして寝かしつけでも構いません。

徐々に起きている状態で寝床に置いて寝つけるように、練習をしていきましょう。

「抱っこねんね」はこうすれば卒業できる！

【抱っこねんねのクセをとるステップ】
①本来の寝床を寝床と認識させる
②置く↓泣く↓抱っこ↓泣きやむ↓置く↓泣く↓抱っこ↓…と繰り返す
③8～9割ねんねのところでおろす練習（おろしたあとはトントンやなでなで、手を繋ぐなどしてあやしてOK）
④③ができるようになったら、抱っこからおろすタイミングを早める
⑤抱き上げずに寝床におりた状態で寝かしつける

ステップ①

いつも抱っこで寝かしつけされている赤ちゃんは、〝寝る場所＝ママやパパの胸〟と認識してしまっています。

そんな赤ちゃんが「さぁねんねだよ～」と寝床に置かれるとどうするでしょうか？

「違う、ここじゃない！ 抱っこしてー！」と泣きますよね。ここからが練習です。

「いつもは抱っこしてねんねしているけれど、本当はここが○○ちゃんの寝る場所だからね！ かわいくて、素敵だよね！」など**寝床を褒めるポジティブな声がけ**をしてあげましょう。

ママやパパがニコニコしながら伝えてあげると「ここは安心していいところだ」と認識することにつながります。

ステップ②

寝床に置いた状態では泣き続けてしまい、トントンやなでなででは泣き止まなそうなら抱っこをして構いません。

ただし、その**抱っこはできるだけ最低限にします**。クセになる要素を減らしていくため

に、ゆらゆらやトントンをできるだけしないようにしてみましょう。

泣き声が小さくなったり落ち着いたりする様子がみられたら、一度寝床に置いてみます。また泣き出してしまうようなら、トントンやなでなでであやし、泣き止まなそうであれば②の最初から繰り返します。

ステップ③

抱っこの状態でうとうとしてきたら、**完全に寝てしまう前（8～9割寝ている状態）に寝床に置いて、トントンやなでなでで寝る練習をしてみましょう。**

最初のうちは背中スイッチが発動して、また振り出しに戻ってしまうこともあるでしょう。何度か繰り返しても置けないときは、最終的に抱っこで寝かせてから置いても構いません。**まずは、ずっと抱っこして寝かせてはもらえないことを赤ちゃんに理解してもらいます。**


ただし、抱っこ紐は避けましょう。何度かおろされる↓抱っこ↓…と繰り返した末に抱っこ紐が登場すると、赤ちゃんは「やっとおろされないで抱っこしてもらえる！　これを待ってました！」と思い、「抱っこ紐が登場するまで頑張って泣こう」と考えるようになってしまいかねません。

ステップ④

ステップ③で8～9割としたうとうと度合いを徐々に下げていきましょう。ねんね力が上がってくると、抱き上げなくても大泣きせず、トントンやなでなでなどの触れ合いだけでうとうとできるようになってきます。

ステップ⑤

一度も抱き上げず、最初から寝床におりた状態でねんねができるようになればクセとり完了です。

「おさわりねんね」クセをとる方法

【おさわりねんねのクセをとるステップ】
①さわって欲しくないことを伝える
②物理的に境界線を設ける
③暗闇で逃げる

ステップ①

二の腕やおっぱいを触りながらや腕枕をしないと寝られなかったりする赤ちゃんは多くいます。この場合、親が気になって眠りづらい、体勢がつらくなって動こうとすると目を覚ましてしまう…というお悩みにつながります。

まずは言葉で「触られていると眠りづらいから触らないで欲しい。手をつなぐだけならいいよ」などと**具体的な代替行動、理由を含めて伝えてみましょう**。これだけで変わる場合もあります。月齢的にもまだ理解が難しい場合や依存が強くて納得してくれない場合、ステップ②や③を試してみてください。

ステップ②

添い寝をしているとどうしても親が触れられる距離にいるので、クセをとるハードルが高くなりがちです。そこでおすすめなのが、ベビーベッドやベビーサークルで距離を取ることです。可能であればベビーベッドを置くのがおすすめですが、赤ちゃんの布団をベビーサークルで囲う方法でも良いでしょう。必要なときはサークルの隙間から手を差し入れて、トントンや手つなぎをすることも可能です。

ステップ③

境界線を設けるのが難しい場合、触られないようにかわして、徐々に自力で眠る手段を身につけてもらうように誘導していきましょう。まずはステップ①のように触って欲しくないことを伝えた上で距離をとります。ママやパパを探して触りにきてしまうかもしれませんが、親側から積極的に触れることは避け、触られてもやさしく手を外し、赤ちゃんの手の甲の上に手を短時間重ねるようにしてから再度離していきます。暗闇で逃げているうちに赤ちゃんも寝落ちできる可能性があります。

［注意点］どこで寝落ちてもいいように布団を敷き詰め、引っかかってしまうコードなどがないように部屋を整えておくことが大切です。大人用ベッドの上では転落の危険性があるので、行わないようにしてください。

自分で寝る子になる「ねんねトレーニング」

生後6ヵ月以降の赤ちゃんのねんね力を養い、自分の力で眠りにつけるように練習するのがねんねトレーニングです。

親のサポートなく、自分の力で眠りにつけることを「セルフねんね」と呼びます。セルフねんねを何歳までにマスターさせましょう、などという決まりはありません。そして、ねんねトレーニングは誰しもに必要なわけでもありません。ねんねの納得度やスケジュール、睡眠環境などを整えることでねんねトラブルが改善することも多くあります。しかし、入眠のクセがトラブルの原因となっている場合、クセを集中して消去するのにねんねトレーニングは非常に有効な手段です。

❶泣かせないとセルフねんねが身につかないわけではない

セルフねんねは、泣きをともなった方が短期集中で身につけさせられる傾向はありますが、「セルフねんねをさせたいけれど、ギャンギャン泣かせるのはつらい」という場合は、時間をかけてゆっくり取り組む方法もあります。合う方法を選んでください。

❷泣く意味や理由がわかるとつらさは軽減できる

赤ちゃんが泣いていると「何を訴えているんだろう？　早く解決してあげなきゃ！」と急かされる気持ちになりますよね。でも、泣いている理由が「来て欲しい、抱っこで寝かしつけて欲しい」だとわかっていれば焦ることはありません。

赤ちゃんにとっても、目が覚めるたびに泣いて親を起こさなくてはいけないのは煩わしいもの。**ねんね力をつけて、朝までぐっすり気持ちよく眠れるようになるのは、赤ちゃんにとってもとっても嬉しいことです。その力を身につけるための練習です。**そう思えば、泣いていることも少しポジティブにとらえられるのではないでしょうか。

Point

ねんねトレーニングで赤ちゃんを泣かせると親子の絆に影響があるのではないか？　と心配になる方もいらっしゃるかもしれませんが、ねんねトレーニングをした群としなかった群で、子どもの精神や親子の愛着形成を比較した研究で、両者に差がなかったという結果が出ています。安心して取り組んでくださいね。

ねんねトレーニングをはじめる条件

ねんねトレーニングにあたり、下記の条件に当てはまっているか確認しましょう。

自分の力で眠りに入るためには、寝やすい体勢を自分で探せることもコツになります。寝返りがえりがスムーズにできるようになってからのほうがトレーニングのタイミングとしてはおすすめです。

MUST
・生後6ヵ月以上であること（早産の場合は修正月齢）
・体重が右肩上がりに増えており、成長曲線内にいること
・持病や通院中の病気がないこと（医師の指示を仰いでください）
・安全な睡眠環境が整えられていること
・月齢に合った昼寝がとれていること（P49）
・就寝前の連続起床時間が長すぎていないこと（P47）
・最低3週間は旅行や保育園入園などの環境変化がないこと
WANT
・寝返りがえりがスムーズにできること

タイプ別セルフねんね「独立型」「見守り型」「寝落ち型」

「セルフねんね」とは一般的に〝赤ちゃんが起きている状態でベッド（布団）に置いて、親が部屋を出て行ってしまっても、自分で眠りにつけること〟を指すことが多いのですが、強調したいのは**〝1人で寝られなくてはいけないわけではありません！〟**ということです。

コンサルティングを行なっている中で〝必要以上を目指そうとして苦労されている〟と感じることがあります。「部屋を出て行っても」「泣かずに」「親を呼ぶことなく」「1人で」寝られなくてはいけないと思ってしまっている方もいらっしゃるのですが、よくお話を聞いてみると実際は**完全に1人で寝つけるようにしなくても、家族の求めている形が叶うケースもある**のです。

そこで、それぞれのご家庭によって目指す方向を定めやすくするため、ここではセルフねんねを3つのタイプに分けることにしました。

タイプ①「独立型」

一般的にいうセルフねんねです。**親が部屋から出て行っても、自分の力で眠りに入ることができる状態**を指します。

このとき、少々の時間は泣くこともあります。それでも1人で眠りにつくことができていれば、独立型のセルフねんねが獲得できていると考えて良いでしょう。

タイプ②「見守り型」

親が部屋に一緒についているだけで、特にトントンや声かけなど何もしなくても自分の力で眠りに入ることができる状態を指します。寝ついてしばらくしてから、ママやパパが部屋から出て行っても泣いて呼び出されることがなければ、このスタイルのセルフねんねとの相性が良いと考えられます。

見守り型

寝かしつけのサポートの段階でいえば、「そばにいる」がゴールです。

タイプ③「寝落ち型」

親が一緒に部屋に入り、トントンなど体を触れ合わせなくても赤ちゃんが寝つくことができ、親も寝てしまうスタイルを指します。こちらも、寝かしつけのサポートの段階でいえば、「そばにいる」がゴールです。

「セルフ」と呼ぶ以上は体の触れ合いはない前提ですが、これが入眠のクセになっておらず、朝までぐっすり寝られるのであれば何も問題ありません。

「セルフねんね」と一口にいっても、いろいろな形があって良いと思うのです。自分の力で眠りにつけるねんね力さえあれば、夜中に頻回に起きて泣くことも減らしていくことができるからです。家族にとって、どの形になるのが望ましいのか、ゴールを明確にするだけでもお悩み改善の糸口になりますよ。

赤ちゃん（6ヵ月〜1歳半）のねんねトレーニング

①「独立型」入退室する方法

「ファーバーメソッド」と呼ばれる世界的に有名なねんねトレーニングの方法です。赤ちゃんをベッド（布団）に置いて、一定時間外に出たら短時間寝室に戻り、また外に出るのを繰り返します。泣きをともなう一方で、比較的短期間でのねんね力獲得が期待できます。

［こんな人におすすめ！］
・赤ちゃんが目の前で泣いているのはつらい、部屋を出たい！　という方
・第二子以降の方
・親が部屋にいると「なぜ抱っこしてくれないの？」と泣いてしまう赤ちゃん

＜手順＞

❶1週間前には予告をしておく

「この日からねんねの練習をするよ。1人で寝るようにしようね」などと声がけをしておきます。カレンダーに×をつけながら、視覚的にわかりやすくカウントダウンしてあげるのもおすすめです。

❷就寝ルーティーンをしたら赤ちゃんをベビーベッド（布団）に置く

このとき、親が出ていくことに対して泣いていても「おやすみ」と声をかけて一旦寝室を出ます。その際、寝室に入室後すぐに退室するのではなく、寝室内でのルーティーンやイチャイチャタイムを過ごしてねんねの納得度を高めてから退室することをおすすめします。寝かしつけのタイミングが早すぎたり遅すぎたりしないよう、普段の寝かしつけのベストタイミングをもとに見計らって連れて行きましょう。

Point

布団でトレーニングを行う場合、追いかけて部屋の外に出てくるのを防ぐため、ベビーサークルで布団を囲う（P59で解説）、もしくはベビーゲートをつけるなどの対策をしておきましょう。

❸部屋を出たら泣いている時間を計る

ストップウォッチを構える必要はありません。おおよその時間を計算して入室のタイミングを測りましょう。入室のタイミングは下記の通りです。

初日　：3分→5分→10分（以降10分ごと）
2日目：5分→10分→12分（以降12分ごと）
3日目：10分→12分→15分（以降15分ごと）
4日目：12分→15分→17分（以降17分ごと）
5日目：15分→17分→20分（以降20分ごと）
6日目：17分→20分→25分（以降25分ごと）
7日目〜：20分→25分→30分（以降30分ごと）

かわいい我が子の泣き声を聞くと、どうしても心苦しくなるもの。そんなとき、あらかじめ入室するタイミングを決めておくと気持ちを強く保ちやすくなります。そのためルール通りにすることを基本的におすすめしますが、一貫性が保てるのであれば多少アレンジをしても構いません。

Point

数えるのは泣いている時間です。泣き止んでいたり、声が「ふぇっふぇっ」と小さくなっていたりしたら眠れそうなサインなので、入室するのを待って見守りましょう。ベビーモニターがあると安心です。

❹入室したら1～2分間なだめる

「大丈夫だよ、ママはついているよ」などのように赤ちゃんが安心できるような声がけ（必要に応じてなでる程度はＯＫ）をしてあげましょう。ここで大切なのは、**この1～2分間は〝寝かしつける時間ではない〟**ということです。なだめて短時間ですぐに退室するようにしましょう。

❺寝つくまで繰り返す

③に記載した待機時間にしたがって、赤ちゃんが寝つくまで入退室を繰り返します。ママやパパにとっては〝泣き疲れて寝た…〟という印象になるかもしれませんが、自分の力で寝つくのが大事な経験です。朝になったら頑張ったことをたくさん褒めてあげましょう。

夜間に泣いて起きたときも基本的には同様に対応します。ただし、夜間授乳を残す場合は時間を決めて、そのタイミングでは授乳をしてあげましょう。授乳が終わったら赤ちゃんを寝床におろし、部屋を出て同様に対応します。

ママやパパと同室で寝ている場合、夜中に毎度部屋の外に出るのは大変なので、寝たふりをしても良いです。泣いてもすぐに反応せず、待機時間分待ってから声かけをしてあげるようにしましょう。

この②〜⑤を2週間は継続しましょう（体調不良の場合は中止）。1週間ほど続けていれば、泣く時間が短くなったり、夜中に目を覚ます回数が減ったりするなど変化が見えてくるものです。何も変化が見られない場合は、スケジュールや環境など前提条件に問題がないか見直してみましょう。

［こんなときどうする？］

Q今日から開始しましたが、3時間泣き続けています。どうしましょう？

Aまずは焦らずよく赤ちゃんを観察しましょう。開始したばかりは長時間泣き続けることもあります。泣き声が大きくなったり小さくなったり、波があるなら泣き止めそうなサインですので見守りましょう。
根性のあるお子さんの場合、長時間諦めずに泣き続けることもあります。途中で対応を変更すると、「頑張って泣けばあやしにきてくれる」と認識してしまう可能性があるので、一貫性を保つよう心を強く持ってください。ママやパパがいたほうが落ち着ける場合は、「離れながら見守る方法」へ変更すると落ち着きやすいこともあります。

Q長く泣いている間に授乳タイムになってしまいました。授乳すると長く泣いたことの報酬になるような気がして迷ってしまいます。どうすれば良いでしょうか？

Aご心配の通り、その可能性はありえます。今回の泣きは授乳ではなく寝かせる！と決めてスタートしたのであれば、それを貫きましょう。次に起きたときに授乳をすることをおすすめします。

Q3時頃まではなんとか自分で泣き止めますが、4時以降は泣き止むことができずにそのまま朝になってしまいます。どう対応すれば良いでしょうか？

A早朝起きの要素はないでしょうか？（P150で解説）見直してみてください。泣きがおさまらずとも同じ対応をし続け、朝の時間を迎えたら明るく「おはよう！」と声をかけてカーテンを開けましょう。ママやパパも寝不足でつらいかと思いますので、昼寝の際にぜひ一緒に休んでください。

Q泣き声が大きくて近所迷惑が心配です。それでも泣き止ませに入らないほうが良いでしょうか？

Aトレーニング成功のためにはやり抜くことが大事です。途中で対応を変えてしまうと失敗の要因になります。できれば近隣の方には事前に挨拶をしておいたほうが、気持ちも穏やかに取り組めるのでおすすめです。

Q1週間くらいで泣く時間が15分以内になり、成功したと思ったのですが、10日後にまた30分以上泣くようになってしまいました。

Aいったん改善したと思われる泣きがまたぶり返すことがあります。ここを通り過ぎると安定することが多いです。下手になってしまったのでも、無になってしまったのでもないので、落ち着いて一貫性を持った対応をしましょう。

（2）「独立型・見守り型」離れながら見守る方法

アメリカの乳幼児睡眠の専門家キム・ウェストが提唱した「スリープレディーシャッフル（SLS）」と呼ばれるトレーニング方法です。赤ちゃんを置いたベッド（布団）と親の座る場所の距離を日ごとに離していきながら、1人で寝つけるようになるのを目指します。

［こんな人におすすめ！］

・赤ちゃんを1人にするのが難しい方
・部屋の外で何もできずに泣き声を聞くのはつらい方
・親がいないとパニックになって泣き続けてしまう赤ちゃん

<手順>

❶1週間前には予告をしておく

「この日からねんねの練習をするよ。1人で寝るようにしようね」などと声がけをしておきます。カレンダーに×をつけながら、視覚的にわかりやすくカウントダウンしてあげるのもおすすめです。

❷就寝ルーティーンをしたら赤ちゃんをベビーベッド（布団）に置き、親は横に椅子を置いて座る

布団の場合はベビー布団の外に座るようにしましょう。「抱っこして欲しい！」と泣くかもしれませんが、**自分で眠れる方法を教えているのですから、抱っこはしません。**立ち上がったり、親を触ろうとしたりしても反応せず、「ねんねしようね」とやさしく端的に声をかけます。

親が座るポジションは以下の通りです。

1～3日目：ベビーベッド（布団）の横
4～6日目：ベビーベッド（布団）とドアの中間地点
7～9日目：部屋のドアの前
10～12日目：ドアを開けた部屋の外
13日目～：徐々にドアを閉めた外へ

お布団で寝ている場合、赤ちゃんが親を追う可能性があります。ベビーサークルで布団を囲うなどの対策をしておきましょう。サークルなどを使用しない場合、距離を一定にするのが難しくなるため習得に時間がかかる可能性があります。

❸泣いてしまうなら声かけ→トントン

泣いて寝つけない様子であれば、まずは声かけをします。落ち着いたトーンで「大丈夫だよ、ねんねしようね」などと短いフレーズを意識しましょう。

初日～3日目は激しく泣くようなら、トントンをしたりなでてあげたりして落ち着かせてもOK。4～6日目からは、できるだけ赤ちゃんに触れずに声かけだけであやすように意識しましょう。7日目以降は泣いても触らず、最小限の声かけだけで対応していきます。

❹しっかり寝るまで見守る

そのまま赤ちゃんが寝つけるまで見守ります。寝たかな？　と思ってもすぐには動かず（ドアの開閉音などで起きてしまう可能性有）、10～15分経って眠りが深くなってから部屋の外に出ます。朝になったら頑張ったことをたくさん褒めてあげましょう。

夜間に泣いて起きたときも同様に対応します。ただし、夜間に授乳を残す場合は時間を決めて、そのタイミングでは授乳をしてあげましょう。授乳が終わったら赤ちゃんを寝床におろし、その日のポジションに座ります。

［こんなときどうする？］

Q泣きながらこちらに助けを求めているように感じます。なぜ抱っこしてくれないの？と責められているようです。

Aこれまでのクセを消去している過程なので、どうしても泣いてしまうことはあります。しかし、赤ちゃんは順応性が非常に高いので、抱っこしてもらえないとわかると別の方法で寝つこうと試行錯誤できるものです。信じて見守りましょう。親がそばにいるとヒートアップするタイプの子の場合は、入退室する方法のほうが合っている可能性があります。

Qトントンをすると余計に泣きがヒートアップしてしまいます。他にあやす方法はないのでしょうか？

Aトントンには好き嫌いがあります。トントンされる場所の好みも分かれますし、そもそもトントンが嫌いな子もいます。なでる、手を握るなどの方法もありますが、いずれもそれで寝つかせないように注意しましょう。

Q部屋の中にいれば寝てくれるのであれば十分に思えてきました。部屋の外までやり遂げなくてはいけないのでしょうか？

Aそんなことはありません。もうここで良いと思ったら、それをゴールにしてOK。その場合は「見守り型」のセルフねんねになります。部屋を出て行く最後まで行うと「独立型」のセルフねんねを習得させることができます。

（3）「見守り型・寝落ち型」そばで見守る方法

ずっとそばにいるタイプのねんねトレーニング方法です。

［こんな人におすすめ！］

・ゆっくり時間をかけてやさしく取り組みたい方
・赤ちゃんと一緒の時間に親も寝るライフスタイルの方
・お布団で添い寝をしている方

＜手順＞

❶ねんねトレーニングを行う1週間前には予告をしておく

「この日からねんねの練習をするよ。１人で寝るようにしようね」などと声がけをしておきます。カレンダーに×をつけながら、視覚的にわかりやすくカウントダウンしてあげるのもおすすめです。

❷就寝ルーティンをしたら
赤ちゃんをベビーベッド（布団）に置き、親は赤ちゃんの隣に座る

ベビーベッド（布団）の横に座ります。赤ちゃんは遊んでもらおうとして立ち上がったり、親の膝にのぼってきたりするかもしれませんが、落ち着いたトーンで「ねんねだよ、また明日遊ぼうね」などと声がけをしましょう。体を触って無理やり寝かせようとすると、それ自体が遊びになってしまう可能性もあるので、**できるだけこちらからは触れずに声がけで寝ることを促しましょう。**

❸泣いてしまうなら声かけ→トントン

泣いてしまったら、まずは声かけをします。落ち着いたトーンで「大丈夫だよ、ねんねしようね」などと短いフレーズを意識しましょう。

それでも激しく泣いてしまうようであれば、トントンやなでなでなどでなだめます。それで寝かせるのではなく、あくまで泣きをなだめるだけです。落ち着いたらやめていくようにしましょう。

❹寝つくまで見守る

赤ちゃんが自分の力で寝つけるまで見守ります。部屋の外に出る場合は寝ついてから10～15分経って眠りが深くなってから出て行くようにしましょう。

［こんなときどうする？］

Q見守るだけにしようとしても、膝にのぼってきてしまいます。この場合は抱っこして布団に戻すべきでしょうか？

A触らない、のぼらないことを言葉で伝えましょう。のぼってきてしまった場合はやさしく布団に戻し、「ママ（パパ）を触らないでねんねしようね」などと声をかけます。触ってきてしまう場合はその手をやさしく取って、親の手を重ねて落ち着かせ、少ししたら離していきましょう。

Q1週間経ちますが変化が見られません。うちの子にはこの方法があっていないのでしょうか？

Aこの方法は赤ちゃんを1人で泣かせることなくやさしい分、改善に時間がかかる傾向があります。徐々にサポート度合いを少なくしていくことを意識しつつ、数カ月かけてねんね力を高めるイメージで長い目で見て取り組みましょう。

幼児（1歳半以上）のねんねトレーニング

親が主導してトレーニングをする方法はお子さん自身の意思や力が強くなってくると難しくなってきます。ある程度の言葉が理解できるような月齢になってきたら、交渉しながら寝かしつけのサポートを少なくできるように取り組んでいきましょう。

方法❶ 「ママ（パパ）がいなくても寝られるかな?」と聞いてみる

「なんでもひとりでできる!」と言いたいお年頃のお子さんだと、「ひとりで寝られる?」という問いかけに積極的にチャレンジしてくれる可能性もあります。

試しにやってみることを前向きに受け入れてくれるようなら「なにかあったら呼んでね」と声をかけて、部屋から出て行ってみましょう。

寝つくのに時間がかかったり、何度か呼ばれたりするかもしれませんが、親が部屋にいなくとも寝られるようになることが期待できます。

方法❷
忘れん坊ママになる

「ママ（パパ）が部屋から出て行くのは嫌だ」というお子さんの場合、忘れん坊ママになってみましょう。

「あ！　お風呂のお湯抜いて綺麗にしなきゃいけないのに忘れちゃった」などと理由をつけて部屋から出て行ってみましょう。そのとき「終わったら必ず戻ってくるから待っててね」と付け加えてあげるのもポイントです。

　最初のうちは短時間で戻るようにしましょう。泣かずに待っていられるようであれば、徐々に待機時間が長くなるような忘れ物に切り替えたり、当たり前のように部屋から出てみたりしましょう。

よくあるねんねトレーニングの失敗ポイント

❶突然はじめる

ねんねトレーニングをする際には、必ず予告をするようにしましょう。「こんなふうにねんねの仕方を変えるよ！　ママはお部屋の外に行くようになるけど、必ず戻ってくるからね！　いっぱい寝られるようになったらママも○○ちゃんも嬉しいよね！　だから一緒にがんばろうね～」と、ポジティブに明るく声かけしてあげることをおすすめします。

❷対応の基準があいまい

いざ我が子の泣き声を聞くと「あ～やっぱり寝てくれないどうしよう。今日は抱っこで…」と心折れてしまいがちなのですが、これは赤ちゃんの混乱を招く行為です。〝頑張って泣いたら、抱っこして寝かせてもらえた〟という学習になってしまい、その後は余計に泣くようになってしまいかねません。**成功のために大事なのは、対応に一貫性を**

持つことです。

❸昼寝を少なめにする

夜眠くなるように昼寝を少なめにしてしまう方もいらっしゃるのですが、それでは疲れすぎて反対に眠りづらくなってしまいます。**月齢にあった睡眠をとり**（P49参照）、**早すぎたり遅すぎたりしないタイミングで寝室に入るようにしましょう**（月齢別寝かしつけタイミング目安はP47参照）。

❹光が差し込んでいる

光は覚醒の原因になります。寝室はしっかり遮光しましょう。入退室する方法の場合はドアを開けた先の光にも注意が必要です。廊下やリビングも暗くし、ドアを開けたときに光が差し込まないように注意しましょう。また、寝ついた後に退室する場合でも、光が差し込むとそれが刺激となる可能性もあります。他の家族が電気をつけて生活している場合、連携できるように電気を消して欲しい合図などを決めておきましょう。

❺「ごめんね」と言ってしまう

子どもは素直なので「ごめんね」と言われると「なにか悪いことをされている」と思ってしまいがち。しかし、ねんねトレーニングは家族みんなの快適な睡眠のためにすることです。赤ちゃん自身も、夜中に何回も目が覚めて、その度に泣いてお願いして寝かしつけしてもらうより、自分で朝まで寝られた方が気持ちよく寝られるはずです。だからこそ**「ごめんね」ではなく、「少しの間は大変だけれど、練習して楽になろう！」とポジティブな声かけをしましょう。**その方が成功に近づけますよ。

❻家庭内で合意できていない

トレーニングを行うことに、家庭内で合意ができていないとトラブルのもととなります。トレーニング中に別の家族が「こんなに泣かせて、かわいそうじゃない？」などと声をかけてしまうと頑張って取り組んでいる人を追い詰めてしまいかねません。強い気持ちを持って成功させるためにも、**家庭内で合意してから取り組むようにしましょう。**

❼成功後にまた泣いて諦める

一度トレーニングに成功してセルフねんねがで

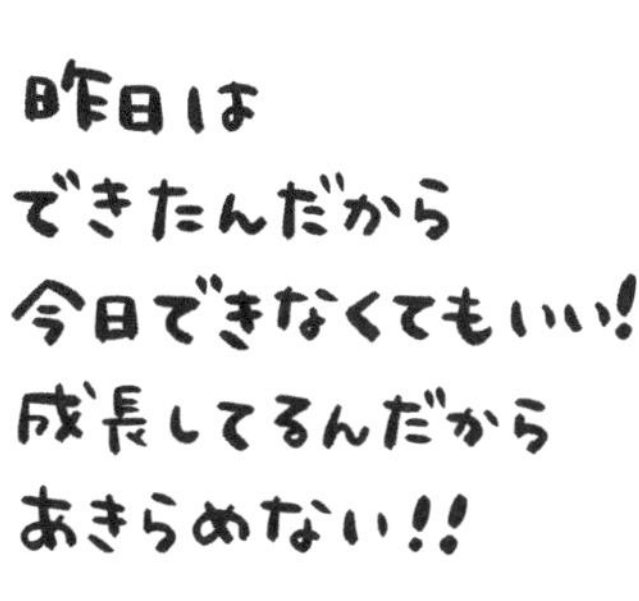

きたからといって、未来永劫ずっとぐずらないということでは決してありません。数週間後にぶり返したり、風邪などをきっかけとして眠りづらくなったり、急成長期のタイミングで崩れてしまったり、そういったことは誰にでも起こり得ます。しかし、**焦る必要はありません。一度獲得したスキルはなくなりません。**今できなくなっても徐々に練習して戻していけば、必ずまたできるようになりますよ。

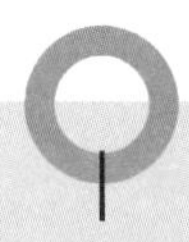

もっと知りたい ねんねトレーニング

ねんねトレーニングを始めたら、昼寝も同じように寝かせる?

日中は別の寝かせ方をしていて構いません。体内時計がしっかりできている赤ちゃんなら、昼は昼のルール、夜は夜のルールとして覚えることが可能です。

むしろ疲れすぎた状態で夜を迎えないよう、特に夕方の睡眠はしっかりとることを意識しましょう。抱っこやおんぶでも構いません。夜のトレーニングに向けて、しっかり休息をとらせてあげましょう。

昼寝のトレーニングにはどう取り組む?

日中のねんねトレーニングについては、夜よりも時間がかかるものだと理解することが重要です。

昼寝は夜のように自然と眠くなりやすい時間帯ではないため、短期的に結果を求めて行うと思うようにいかず親子共につらくなってしまう可能性があります。夜がしっかり身についてから、朝寝→昼寝→夕寝の順で時間をかけてゆっくり取り組むことをおすすめします。

6章

知りたいことがすぐわかる!

寝かしつけの「困った」100問100答

［基礎知識・成長発達］

1
Q ずっと泣いていて眠いタイミングがわからない

A―月齢の低いうちは「寝る」「泣く」「飲む」を繰り返している時間が多いものです。理由もなく泣くこともありますよ！（↓P20参照）**おむつもきれいでお腹も満たされているなら、ママやパパの対応のせいで泣いているわけではありません。**起床後に月齢別のタイミング（↓P47）に沿って寝かしつけをしてみましょう。その様子を見て疲れていそうなら少し早めに…など調整してみてくださいね！　同じ赤ちゃんでも時間帯やその日受けた刺激によって、早めに眠くなったりもするものですよ。

2
Q 家事をしようとするとギャン泣きする

A―**方法①「先に愛をGiveしておく」**
これから家事をしようというとき、先にこれでもか！　というくらい「大好きだよ～すりすりすり♡」などと愛を伝えておきます。それから「お皿を洗わなくちゃいけないからちょっと待っててね。終わったら戻ってくるから」などと声をかけると、待っててくれやすくなりますよ！
方法②「おんぶしながら家事」
首がすわっている子限定ですが、おんぶは家事の強い味方です！　特に夕方のご飯づくりなどにおすすめ。昼寝

している隙を狙って家事するのではなく、起きているときにおんぶして、同じ目線で家事を見せましょう！ 包丁や火を使っても心配ないし、実況中継するだけで食育にもなりますよ！（そのまま夕寝してもOK）

3 Q 乳幼児突然死症候群（SIDS）が怖い

A― 大事なのはリスクを減らすことです。まずは環境を整えて、**やわらかい寝具（枕や毛布、掛け布団など）は置かないようにしましょう。**室温調節や服装によって暑くなりすぎるのを避け（↓P66参照）、寝返りができるようになるまでは、うつ伏せになっているのを見つけたら仰向けに戻してあげましょう。

4 Q うつ伏せ寝が心配

A― **寝返りができていれば、無理に戻さなくてもOK！** それまでは、安全な環境を整えて（↓P54）、寝返りしているのに気づいたらそっと戻してあげましょう。うつ伏せ寝のほうが寝やすい子も多くいます。その場合、寝入りはうつ伏せでよいので、寝ついて10〜15分ほど経って眠りが深くなったらひっくり返してあげましょう。

5 Q 指しゃぶりはやめさせたほうがいい？

A― **無理に急いでやめさせなくてOK！**
指しゃぶりや拳しゃぶりは立派な自分

をあやす手段です。自分で寝る力を獲得するために指しゃぶりが役立つことも多くあります。小児科と小児歯科の保健検討委員会によると、12ヵ月頃までの指しゃぶりは発達過程における生理的な行為なのでそのまま経過をみて良いそうです。1～2歳頃になると昼間の指しゃぶりは自然に減少してくる傾向にあり、退屈なときや眠いときなど一時的なものになってくるため、神経質になる必要はないとされています。

6 Q おしゃぶりは使ってもいい？

A ―使ってOK！　おしゃぶりを使うことは、乳幼児突然死症候群（SIDS）対策にもなるとしてアメリカ小児科学会でも推奨されています。ただし、おしゃぶりが口から外れて夜中に何度も目を覚ます、などとトラブルがあって悩んでいる場合は卒業も視野にいれていくと良いでしょう。

7 Q 急に寝つきが悪くなった！

A ―**成長発達にともなって一時的にねんねがしづらくなる時期を「睡眠退行」と呼びます。**睡眠退行時は寝つきが悪化したり、それまでよく寝てくれていた子でも、夜中何度も起きたり寝つきが悪くなったりすることがあります。主に生後4、8、11、18ヵ月頃にその時々の成長に伴って起こります。「退行」と書きますが、下がっているわけ

ではありません。
今まで気にならなかったものが成長発達によって気になるようになったり、体の能力を獲得するために無意識に練習してしまったり、いずれも成長の過程です。長くても1ヵ月程度でおさまるものなので、眠れなくなっている要因が他にないか、睡眠環境やスケジュールを見直してみましょう（睡眠環境➡4章、スケジュール➡P47、49）。

8
Q 夜泣きって何歳までするもの？

A―「夜泣きがおさまったと感じたのはいつ？」という調査では、平均13ヵ月頃というデータがあります。しかし、同じ調査の中で、おさまった月齢が最も高かったのは「4歳」という回答もあったほど人それぞれです。
月齢が上がればねんね力も自然と高まってくるのは確かですが、**成長を待つだけではなく、寝やすい条件を整えて、できるだけ早めにぐっすり寝られるようにしてあげましょう。**

9
Q 朝まで起きないけど大丈夫？

A―月齢と成長度合いによります！ 生後6ヵ月を過ぎている場合は心配ありません。難しいのは生後2～3ヵ月などの場合です。日中にしっかり哺乳できていて、右肩上がりに体重も増えていれば問題ないケースが多いのですが、体重の増えが悪かったり、おしっこの回数が少なかったりする場合は、夜間の授乳が必要かもしれません。心配であれば、小児科の先生や助産師さんに相談してみましょう。

10
Q 暗い部屋だけで寝かせていると明るい場所で寝られなくなる?

A― そんなことはありません! 気になるものが見えたり、光が目に入ったりすると興奮・覚醒しやすくなり、眠気が遠のいてしまうことがあります。明るいところでは視界をなるべく塞いだり、光を遮ったりすることで、眠りやすい状況を作ることができます。保育園の昼寝のためにこの心配をされる方が多いのですが、保育園では先生が誘導し、周りのお友達もみんな寝るので、慣れると寝られるようになります。心配いりませんよ。

[寝かしつけ]

11
Q 眠いはずなのに抱っこでも寝てくれない

A― この前まではその時間で寝てくれたけれど、最近寝られなくなった…ということであれば、**成長して起きていられる時間が伸びたのかもしれません。**寝かしつけまでの時間を少し伸ばして、様子を見ましょう。心と体から眠りに誘導するのも大事ですよ!(↓P23)もしくは、**抱っこを求めていないのかもしれません。**ねんねが上達してくると、「布団に置いてくれたほうが寝やすい」というタイプの子もいますよ。

12

Q 寝ぐずりして寝かしつけに時間がかかる

A— **寝ぐずりの原因は既に眠たすぎてしまっていること、もしくは寝るモードになれていないことが考えられます。**もし眠くなりすぎているなら、いつもと同じような方法で寝かせようとしても難しいかもしれません。サポート度合いを上げて早めに寝かしつけてあげましょう。もしくは、寝ることに納得できていないのかもしれません。まだ眠くなかったり、急に寝かされて心の準備ができていなかったり、やりたいことがあって寝ることに納得できていないのかも。納得して寝室につれていけるよう、眠りに誘導することを意識してみましょう（↓P23）。

13

Q 寝室に入った瞬間に泣いてしまう

A— "寝室に入る＝寝かされる" というイメージになり寝室に入るだけで泣くようになってしまう子もいます。入室した瞬間「はい、終了！　おやすみ！」とする必要はありません。抱っこをしたり、顔をすりすりしたりとスキンシップを楽しんだり、絵本を読んだりマッサージをしたりして親子のコミュニケーションの時間を作りましょう。**赤ちゃんに「寝室にも楽しみがある」と思ってもらう**ことができます。

寝室が怖いようなら、日中明るいときに寝室を見せて怖くない場所だと教えてあげましょう。電気を消すと泣く場合は、自分でスイッチを押させてあげると納得感が高まって泣きづらくなります。寝室につれていくタイミングが悪くても泣く要因になるので、早すぎたり遅すぎたりしないか（↓P47参照）チェックしつつ、眠りに誘導することを意識してみましょう（↓P23）。

14

Q ベビーベッドを嫌がる

A ― ベビーベッドに置くだけで泣いてしまう赤ちゃんはたくさんいます。だからといって、大人のベッドに連れてくるのは危険です。また、添い寝という選択肢を覚えた赤ちゃんは「いつも添い寝がいい！　ママ（パパ）の隣で寝たい！」と要求するようになってしまうかもしれません。**大人のベッドは大人の場所、ベビーベッドはあなたの場所、と境界線をしっかり教えてあげましょう。**大人が思うより赤ちゃんの順応性は高いもの。最初は「とても寝るわけがない！」というくらい泣いても、「ここが寝床か」と理解すれば寝てくれるようになりますよ。

15

Q 「背中スイッチ」がひどくておろせない

A ― 背中スイッチは抱っこからおろそうとするから押されてしまいます。**最初から抱っこではない寝かしつけを練習しましょう**（↓P86）。「頭から置くと良い」「お尻を最後まで持ってゆらしてから置くと良い」など様々な説がありますが、全員に当てはまるものを探すのは難しいもの。色々な方の経験談の中で、お子さんに合う方法が見つかると少し楽になるかもしれません。完全に眠る前におろす練習をしていくのがおすすめですが、完全に抱っこで寝ついてからおろす場合、眠りが深くなった10〜15分後を狙うと良いでしょう。また、低月齢の赤ちゃんの場合はおくるみをして寝かせることもスイッチの感度を下げるためには有効ですよ。

16

Q 足首の関節の「パキッ」だけで起きてしまう

A──音に敏感な赤ちゃんあるあるですよね。関節の音が鳴らないようにするのは難しいので、**赤ちゃんの眠りを深くすること・タイミングを見計らうことで対処しましょう。**眠りを深くするためには、脳がヒートアップしていない状態で寝かせてあげることが大切です。月齢別のタイミング（➡P47）を参考に寝かしつけてみましょう。また、寝たと思ってすぐにそばを離れようとするとまだ眠りが浅くて反応しやすくなるので、10〜15分ほどその場で待機してから動くのがおすすめです。

17

Q 機嫌良く動き回って寝かしつけに時間がかかる

A──**もし30分以上機嫌良く動き回っているようなら寝かしつけが早すぎるかもしれません。**少し遅らせて様子をみましょう。また、つかまり立ちなど新しい能力を獲得した直後は、体が勝手に練習しようとしてしまいます。「時間がかかるようになったからねんねが下手になってしまった！」と焦る必要はありません。ただ練習したいだけなのかも。「いまは少し時間がかかる時期なのかもな」と思って、見守ってあげることも大事です。手を出しすぎないことが以後の寝かしつけにクセをつけないコツですよ。

18

Q 歯が生えてきたのがかゆくて寝づらそう

A **かゆい部分を冷やしてあげることをおすすめします。**冷やしたスプーンやおしぼりなどを噛ませてあげる、冷やした指でマッサージしてあげるなどが有効です。歯固めを使用することも良い方法ですが、歯固めジュエリーは破損による窒息や怪我の原因になるので避けましょう。

19

Q 寝る前に体をかきむしってしまう

A 寝入りは皮膚の表面温度が上がるので、かゆく感じている可能性があります。もしくは寝入りのクセかもしれません。

長く起きすぎていると寝つきづらくなり、その寝づらさでクセが出てしまっている可能性もありますので、寝かしつけのタイミング（➡P47）を参考に見直してみましょう。

また、シーツの素材を見直してみるのも一案です。オーガニックコットンに替えてかゆみが改善したケースもありますよ。

20

Q 寝る前に必ず大泣き…いつか変わる？

A 泣くこと自体は悪いことではありません。泣くことで寝る準備をしている可能性もあるからです。他にも毎回大声で歌ってから寝る子やぐるぐる歩き回ってから寝る子など、独自のルーティーンは様々です。

でも、毎日泣き声を聞くのはつらいし、心配ですよね。**どうしても1人で寝なくてはいけないわけではありません。親がついていることでスムーズに寝られるのであれば、それも選択肢です。**他にできることは環境を整えてあげること（↓4章）、寝かしつけへの誘導をしっかりしてあげること（↓P23）、タイミングよく寝かせてあげること（↓P47）ですよ。

21

Q 授乳での寝かしつけをやめたい

A 母乳やミルクを飲んだら眠くなるのは普通です。**飲みながら寝ることに神経質になる必要はありません。**ただし、飲みながら寝ているクセが原因で夜中にたびたび起きてしまうなどのトラブルが起きている場合は、そのクセをとってあげることがトラブル解消につながる可能性が高いです。その場合はまず**「寝る＝飲む」ではないと教えてあげましょう**（方法は↓P83）。いまは寝るためには飲むことが必要と学習してしまっているだけ。飲む以外の方法で寝られることを知ると、徐々に変化が期待できますよ！

22

Q 添い寝をしないと寝てくれない

A 添い寝するだけでトントンやなでなで、腕枕などの触れ合いがなくても寝てくれるならとってもねんね上手です。セルフねんねに近いところにいると考えてもよいでしょう。一方で触れ合いがないと寝られなかったり、部屋からいなくなっていることに気づかれると泣き止まなかったりする場合、**ねんねトレーニングを取り入れるのも1つの解決手段です**（→P98）。もしくは、**物理的に境界線を設けて触れ合いを少なくしたり、できるだけ触られないようにしたりして赤ちゃんから逃げる方法もあります**（→P90）。無理をせず、取り組みやすい方法からチャレンジしてみてくださいね。

23

Q トントンが効かない

A トントンが嫌いな子は意外とたくさんいます。トントンでなくても、**なでなでや手をつなぐなど、スキンシップで効果的なあやし方があれば良い**のですが、どれをしても余計にヒートアップしてしまう子もいます。その場合は、**見守り→シーシーッなどの声がけ→抱っこ、という順番で対応**します（サポートの強さの度合いについては→P81）。中には親がそばにいない方が落ち着いて寝られる子もいるので、観察しつつ試してみるのをおすすめします。

24 Q トントンをやめるとすぐ起きてしまう

A ―「トントンされていたはずなのにされていない！ ママ（パパ）が隣にいたはずなのに、いなくなっている！」ということにびっくりして起きているのではないでしょうか。対策としては、**「①寝るときの最後の記憶をトントンではなくする」「②起きそうな時間の前から再度トントンする」**の2つが挙げられます。①の場合は眠りそうになったらトントンの間隔をあけて、最後には何もしていない状態で眠らせることを目指してみましょう。②の場合は、毎回30分で起きるなどの規則性を見つけ、その少し前に入室してトントンをして継続したねんねを促してみましょう。②は日中のねんねにおすすめです。

25 Q そばにいれば寝るが、離れると泣いてしまう

A ―深い眠りに入れていないのかも。もしくは深い眠りに入る前に刺激を感じている可能性もあります。寝ついてすぐにドアをバタンと閉めて出て行こうとすると、まだうっすら意識があり「いかないで！ ぎゃー！」となりかねません。部屋から出て行くなら、**寝ついてから10～15分程度経ってからがおすすめです。もし、ずっとそばにいることが大変でつらいのであれば、最初から少し離れて寝る練習をしてみましょう**（➡P98参照）。泣いたとしても、それは新しい能力を獲得するために必要な泣きです。赤ちゃんは順応性が高

いので、泣いても離れるとわかれば自分で自分をあやす能力を身につけていけますよ。

26 Q パパが寝かしつけをしてくれない

A―パパは寝かしつけを〝自分にもできる仕事〟と思っていないのかもしれません。「上手な人に任せよう」と思っているだけかも。まずは寝かしつけに挑戦して欲しいことを言葉で伝えてみましょう。ルーティーンや、やって欲しくないことは事前に伝えた上で、**チャレンジの日は一切手や口を出さないようにします。**赤ちゃんにも「パパしかいない」とわかるように、ママは外出してしまうのがおすすめです。

27 Q パパの寝かしつけは「イヤ！」と寝てくれない

A―ママがいるところでやっていませんか？　慣れたママがすぐそこにいるのにもかかわらず、パパが担当することの意味を赤ちゃんが理解できていないのかもしれません。**思い切ってパパに任せて、ママは姿を消してみましょう。**ママがいないことがわかっていれば「パパが頼り♡」と思ってもらいやすくなります。一度や二度ですぐにママとの差を埋めることは難しいかもしれませんが、「パパでも寝られた！」「俺でも寝てくれた！」という経験は両者にとって一歩前進するための大事な要素ですよ。

28

Q　寝かしつけ中にパパが帰宅。子どもが興奮して寝ない！

A─連絡を取り合って、帰宅タイミングを調整してもらってください。心も身体も寝るモードへもっていくためには、ゆっくり時間をかける必要がありますが、興奮・覚醒は一瞬です。スムーズな眠りに入るために、パパにはどこかで時間をつぶしてもらいましょう。

29

Q　パパのいびきで赤ちゃんが起きてしまう

A─ママとしては「やっと寝かせたのに！」とイラッとしてしまいますよね。対策としては、パパと赤ちゃんの寝る位置の距離をなるべく取り、その間にホワイトノイズを設置できると多少は緩和できます。でもあまりにも大きないびきなら、病気が潜んでいることもあるので、医者への受診を勧めるのも良いかもしれません。

30

Q　きょうだいがいて、同時に寝かしつけるのが大変

A─**寝かしつけの時間をずらすことで解決することもあるかもしれません。**下のお子さんが寝た後に、上のお子さんと2人っきり時間をとってあげられると心のケアにもなります。もしくは、下のお子さんにセルフねんねを身につけてもらう練習ができれば、ストレスは軽減されるでしょう。生後6カ月以上であれば、ねんねトレーニングの導入も検討できます。

同時に寝かしつける場合、下のお子さんにかかりきりになってしまう傾向があるので、寝る前に上のお子さんの心を満たすこと、そして寝つくときの依存度を下げていくこと（サワサワなどのクセをとること↓P90参照）を考えていきましょう。

31

Q 上の子が下の子の寝かしつけを待っていられない

A ― おもちゃや絵本などで待っていてくれれば良いですが、なかなか難しいものですよね。そんなときは**時間を決めて切り上げてリビングに戻ってあげることをおすすめします。**

たとえば「時計の針が2になったらママは戻ってくるね」と具体的に数字を示して声をかけると、そこまではがんばって待っていられるかも。赤ちゃんが泣いていても、時間になったらママも約束を守ってリビングに戻りましょう。お手伝いが好きなお兄ちゃんお姉ちゃんなら、寝かしつけのお手伝いをお願いするのも1つの方法。トントン係やシーシー係など、役割を任せてみると張り切ってくれるかもしれませんよ。

32

Q ギャン泣きされるとイラッとして怒鳴ってしまう

A ― かわいい我が子でも泣き声を聞くと

イラッとしますよね。そんなとき、私自身が実践しているのが「**タイムマシーン理論**」と呼んでいる考え方です。いまイライラしている私は、実は20年後からタイムマシーンで来た私なのだと考えるのです。20年後、もう子どもと一緒に住んでおらず、一緒に寝ることなど絶対にない私が「1日だけでもいいからあの頃に戻って笑って育児がしたい」と思って望んで、いまこの瞬間に戻ってきているのだと考えます。そうすると急に、いまが貴重な時間だと感じて泣き声すらも大切にかみしめたくなるのです。

［昼寝］

33

Q 昼寝をさせても30～40分で起きてしまう

A―寝かしつけのクセや光が影響しているかもしれません。睡眠の1サイクルは夜だと40～60分程度ですが、昼はこれがもっと短く30～40分とも考えられています。

このトラブルの場合、1サイクルで目が覚めてしまっている状態だと考えられます。抱っこで寝かしつけられた子が、1サイクル経って浅く覚醒したときに「抱っこされていない！」と焦って泣いてしまっている…というイメージです。

最初から布団におりて寝る練習をし

ていくことが解決につながる可能性があります（↓P86）。

もしくはその浅い覚醒のときに「光っているな…起きよう」と光に反応して目覚めてしまっているのかも。**暗い部屋で昼寝をすることで解決する可能性もあります。**（※真っ暗な寝室での昼寝は昼夜を覚えた生後2〜3カ月以降が推奨）

34 Q 寝てほしい時間に昼寝をしてくれない

A—月齢が上がって成長しているにもかかわらず、ずっと前のスケジュールで寝かせようとしていませんか？　**赤ちゃんは日々成長しています。急に起きていられる時間が長くなることもあります。**

寝かしつけタイミングの表（↓P47）はあくまで目安に、個人差や運動量・刺激の量などを考慮しながら見計らってくださいね。お昼寝の回数が減るタイミング（移行期）ということも考えられますよ！

35 Q 抱っこ紐じゃないと寝てくれない

A—**「寝る場所＝抱っこ紐」と認識しているのかも。**そうではないと教えてあげましょう。日中のすべての時間帯で抱っこ紐を使わない練習するのは難しいかもしれませんね。取り組む順番としては**朝寝→昼寝→夕寝**の順がおすすめ。まず朝寝では抱っこ紐の使用は避けけ、できるだけ着地した状態で寝つくことを目指します。

ギャン泣きが続いてしまうなら、5~10分程度で一度抱き上げてあやしましょう。これを何回か繰り返しつつ、8~9割のウトウトで着地し、そのまま寝つけることを最初の目標にします。朝寝を練習してうまく眠れなかったら、昼寝は抱っこでも構いません。そうして睡眠時間を確保するようにしてあげると、夜に響きにくくできますよ。一歩ずつ取り組みましょう!

36

Q 昼寝が長すぎると夜寝なくなる?

A―たしかに昼寝が長すぎると夜に寝つきが悪くなったり、夜中に覚醒したりするトラブルの原因になります。ですが、反対に「夜寝られなくなるから…」と気にして昼寝を短くしすぎると、**疲れすぎて寝ぐずりや夜泣きの原因になりかねません。**長すぎても短すぎてもトラブルになるなんて難しい! と思われるかもしれませんが、左記も一例として参考にしてください。

・夜になっても元気で寝ない
↓昼寝が長くて眠くない or 興奮しすぎ
・夜になるとギャン泣きして寝ない
↓昼寝が長くて眠くない or 疲れすぎ
・夜間に機嫌良く起きて遊んでしまう
↓昼寝と夜寝の合計時間が長い
・夜間に何度も起きて泣いてしまう
↓疲れすぎ

月齢別の推奨睡眠時間（➡P49）とも比較しながら、お子さんにあった睡眠時間を探ってみてくださいね。

37

Q 夕方に昼寝はNG？

A―そうとは限りません。**昼寝を切り上げる推奨タイミングは月齢や就寝時間によって変わります。** 3歳のお子さんなら、15時くらいまでに昼寝を切り上げておくのがよいでしょう。一方で、生後3カ月の赤ちゃんなら、寝かしつけタイミングは起きてから1時間半程度です。もし20時に寝かしつけをするなら、18時半まで昼寝しているのが良いということになりますよ。むしろ起きている時間が長すぎると、疲れすぎて眠れない原因になることもあります。

38

Q 暗い部屋で昼寝をさせたら、昼夜がわからなくなる？

A―**体が覚えているので大丈夫です！** ヒトは体の中に時計のような機能があり、体温やホルモンバランスなども時間帯によって変わっています。お昼寝を暗いところでしても、夜と勘違いしてしまう心配はありませんよ。（生後2～3カ月頃までは時計が機能しきれていないので、昼寝は明るい場所を推奨します）

39

Q 夜はセルフねんねなのに昼はセルフねんねできない

A―昼寝の難易度は夜よりも高いので、

夜にセルフねんねができる＝昼もできる、ではありません。それでも夜にできるということは〝自分で眠りに入る感覚〟は持っているということなので、**練習すれば日中もできるようになる可能性は十分にあります。朝寝から順に、見守る時間をつくってあげましょう。**

しかし、日中に入退室をするようなねんねトレーニングはあまり推奨しません。夜のように体が眠ろうとする力が高くないため、ハードルが高いのです。徐々に見守りだけでも寝られるように、まずは今よりも寝かしつけのサポート（➡P81）を少なくしていくことを意識してみましょう。また、必ずしもセルフねんねできることがゴールでもありません。トントンでスムーズに寝入って、そのままぐっすり1時間以上眠れるのであれば、親の負担は少ないのではないでしょうか？　ゴール設定をどこにするかも重要ですよ。

40

Q 保育園では昼寝できるのに、家だと寝られないのはなぜ？

A 保育園は〝みんなで一緒〟という心理の働く場所です。そしてプロの先生が眠りやすく誘導もしてくれます。みんなが寝るから寝る、この時間は遊べないと子どもなりに判断しているのでしょう。でも家ではママやパパのやさしさに甘えているのかも。「昼寝したくない！」といえば遊んでもらえたり、ドライブに連れて行ってもらえたりすることを学習しているかもしれません。**ママやパパが困ってしまうなら、「いまは寝る時間」と徹底した対応をとるのも1つ。ですが、眠くないなら心ゆ**

くまで一緒に遊んであげるのも1つです。〝保育園と一緒にしなきゃ！〟と焦らず、様子をみながら休日は休日の対応をしてあげましょう。

41 Q 昼寝の回数はどうやって減るの？

A―ある日突然減るわけではありません。3回の日があり、2回の日もある…というように混ざりながら減っていきます。**今日は3回なのか2回なのかは朝寝や昼寝の長さによって判断していきます。**朝寝は1時間できたが、昼寝はいつも30分以上寝られないのであれば夕寝もする想定でいると良いですが、昼寝が1時間半できるなら夕寝はなくて良いでしょう。「今日から2回にする！」などと親が決めるのではなく、その日の状況によって判断していきましょう。

42 Q リビングで昼寝をしてはいけない？

A―**寝られるならOKです！**寝室のほうが落ち着いて寝られる環境であることは多いかと思いますが、ご家庭によっては日中に寝室で寝かせるのが難しいケースもあるでしょう。寝かしつけに時間がかかる、寝てもすぐに起きるなどのトラブルがある場合はベビーモニターを設置したり、部屋割りを変更したりして可能な限り寝室で昼寝させられると良いでしょう（※生後2～3カ月以降）。

43

Q リビングで快適に昼寝をするための工夫は？

A カーテンを閉めて電気を消し、テレビなど音や光が出るものも消します。部屋の中で落ち着きやすいスペースにお布団を敷いて、周りのものが気になってしまうようならパーテーションを置いてあげるのもおすすめです（地震対策は必須）。音が気になる場合、ホワイトノイズ（↓P64）も活用してみましょう。

［スケジュール］

44

Q スケジュールが崩れるのが怖くて外出できない

A たった1日の乱れをそんなに恐れなくても良いですよ。毎日理想のスケジュールで過ごそうとすると、ずっと家で時間を気にする生活になってしまいますよね。でもそれでは親のメンタルが崩れてしまいます。外に出て日の光に当たると、セロトニンという幸せホルモンとも呼ばれる物質が分泌されて、うつうつとした気分の解消につながります。**1日崩れても、翌日や翌々日など2～3日単位でカバーすれば元に戻せます**。敏感になりすぎず、外にも出かけてくださいね！

45 Q 夜泣きをして寝不足の日は、朝遅くまで寝かせていい？

A ママ・パパ、お疲れ様です！　寝ていたいですよね…でも明日のために、できるだけいつもと同じ時間に起こしましょう。何度も夜泣きして朝方やっと寝てくれた…となると、つい遅くまで寝かせておきたくなります。しかし、そうすることによって生活リズムが崩れ、昼夜逆転など時間感覚が狂ってしまう可能性があります。そうなると、夜になっても寝てくれなくなったり、夜中に覚醒したりするなどトラブルにつながりかねません。朝眠くて起きられないかもしれませんが、**明日以降の快適な眠りのためにも一度起きてカーテンを開けて朝日を浴びましょう。**その後、朝寝や昼寝で赤ちゃんと一緒に寝て、少しでも休息をとりましょう。

46 Q 離乳食と睡眠の時間が重なってしまう

A **ご飯と睡眠が重なったら、睡眠を優先させましょう。**眠くてぐずっている状態ではご飯を食べるのが難しいからです。育児書では離乳食の時間は10時14時18時などが目安として書かれていることが多いですが、どうしてもその時間に食べさせなくてはいけないわけではありません。

　赤ちゃんが眠くなったら、授乳だけして寝かせてあげてOK。起きて機嫌の良いタイミングで離乳食をとらせてあげましょう。外出していて、帰宅した時間にちょうど昼寝と食事が重なりそうなら、帰り道にバナナやおせんべいなどを食べさせてあげるのも対策の1つですよ。

47

Q 起床時刻も就寝時刻も毎日バラバラ…

A まずは起床時刻を統一しましょう！

生活リズムの起点となるのは起床時刻です。

朝起きる時間がバラバラなのに、夜同じ時間に寝るのは難しいですよね。眠くなるタイミングを統一するためにも、（一時的に睡眠不足になってしまったとしても）まずは毎朝同じ時間に起床しましょう。

48

Q 昼夜逆転、なにから改善すればいい？

A **朝起きて、日光を浴びましょう！**

体内時計を合わせる鍵は日光です。もし夜寝るのが遅くなったり、夜中に覚醒したりして朝眠そうにしていたとしても、昼夜逆転の改善には朝起こすことが重要です。眠くてぐずるかもしれませんが、光を浴びて目を覚まさせて機嫌をとりましょう。一時的に睡眠不足になるかもしれません。でもその睡眠不足こそ、体内時計を調整するために越えなければならない壁なのです。朝起きれば、夜に眠くなる体のリズムを取り戻すことができますよ。

49

Q 早朝起きした日の寝かしつけ、どう計算すべき？

A―たとえば6時が起床時刻なのに4時に起きてしまった場合、6時の時点ですでに2時間起きていることになりますね。寝かしつけはいつも3時間後…だとすると7時から朝寝!?　となってしまいますが、そうは考えなくても大丈夫。4〜6時の間は暗い寝室でゴロゴロしていたのですから、**明るいところで活動していたようには疲れは溜まっていません**。6時に起きたときよりは早めに寝かせることになる…くらいの意識でも良いでしょう。赤ちゃんの様子を見ながら調節してあげてくださいね。

50

Q 19時に寝かせると早朝に起きてしまう

A―19時では寝るのが早すぎるのかもしれません。疲れ過ぎを防ぐのはとても大事です。しかし、**月齢によって赤ちゃんは夜に長く寝ることが難しいこともある**（➡P49表参照）のです。

たとえばその子が夜に10時間睡眠をとる子だった場合、19時就寝では5時に起きてしまうことになってしまいます。特に機嫌良く起きている場合、この可能性が高いと考えられます。

51

Q 1日中寝かしつけをしていて疲れてしまう

A―特に低月齢のうちは「おむつ替えて、授乳して…あ、もう寝かしつけの時間だ！」とお世話に追われがちですよね。そんなときは、**日中は「寝かしつけなきゃ！」を忘れてしまってもOK**。ストレスは禁物なので、一旦外に出てみましょう。

ただし、最後の昼寝（夕寝）〜就寝までの時間が長すぎると、夜の寝かしつけが長引いたり夜泣きをしたりすることの原因になりやすいので、そこだけはママとパパの夜の睡眠確保のためにも意識してみてくださいね。

［夜中の対応］

52

Q 夜間頻繁に起きて泣く

A―夜泣きの原因はさまざま、考えられる要因をつぶしていきましょう。

まず見直したいのはスケジュール。連続して長く起きすぎていないか、月齢別の目安（↓P47）も参考に見直してみましょう。

続いて睡眠環境。光や音、室温や服装など刺激になって起こしてしまう要因がないか、要チェック（↓4章参照）。

もし何も心当たりがないなら、寝かしつけのクセが原因かもしれません。おっぱいを飲みながら寝たはずなのに気づいたらない！　また眠るためにおっぱいが欲しい！　など、自分だけでできること以外の何かが入眠のクセとなり、浅い覚醒の度にそれを求めて泣いてしまっていることが考えられます。

クセの取り方は5章を参考にしてみてくださいね！

53 Q 本当に泣いているのか、寝言泣きなのかわからない

A―寝言泣きで泣いているうちに、そのまま起きて泣いてしまうこともあり、その境界は曖昧です。**寝言泣きの対応として重要なのは、泣き出して2～3分は見守ってみることです。**自分で泣き止んで再入眠ができるなら、寝言泣きだった可能性が高いです。ここで手を出してしまうと、反対に起こすことになるのです。見守っても泣き止めないようであれば、サポート度合い（↓P81）の低いところから順番に介入してなだめてみましょう。

54 Q おむつは毎回替えたほうがいい？

A―おむつ替えは赤ちゃんを刺激する要因になるので、泣くたびに替えるのは得策ではありません。うんちが出ていたり、パンパンだったり、かぶれが気になる場合は替えてあげましょう。

55 Q 夜間授乳はいつまで必要？

A―**生後6ヵ月頃までは夜間授乳をする**

ことをおすすめします（それ以前に夜通し寝るようになった場合、小児科医や助産師と相談してください）。夜間授乳が必要な期間は日中の哺乳量や離乳食の進み具合、麦茶や水など母乳やミルク以外の水分が摂取できているかなどの状況によって判断は変わります。授乳を残しながらねんねトレーニングも可能ですので、1歳頃までは無理に夜間断乳をすることはありません。

56 Q 夜間断乳はいつから？

A── 成長度合いにもよるので一概には言えませんが、**親が主導して夜間断乳するのであれば早くても生後6ヵ月以降、できれば生後9ヵ月以降をおすすめします**（※可否については小児科医の判断をあおいでください）。

それよりも早いうちから「気づいたら朝まで寝るようになった」という方もいます。こういった場合、起こしてまで飲ませる必要があるか一概には言えず個々の判断が必要なのですが、このように赤ちゃん側から「要らない」とされているのと、親が決めて「飲ませない」とするのには差があります。親主導で夜間断乳する場合、生後6ヵ月未満では成長のために避けましょう。

57 Q ゆる夜間断乳ってなに？

A── **夜間の授乳回数とタイミングを定めて、授乳回数を減らすことです。**完全に夜間断乳する前のステップとして、24時や3時など決めたタイミングだけ授乳することを指します。第一歩としては24時までの間、断乳するのをおすすめしています。夜間睡眠の前半の時間帯であれば、体からの眠りたい力が強く働いているため、やりやすいからです。

58

Q 寝ている間、手足が冷たい

A ― **寝ている赤ちゃんの手足が冷たいのは体温調節機能が未熟なためです。体幹に近いほうまで冷え切っていなければ、心配することはありません。** むしろ暑くしてしまうほうが、赤ちゃんにとっては危険があります（↓P56）。

もし体幹のほうまで冷たいようでしたら、冷房を弱めたり、服を厚手のものに替えたり、スリーパーを着せたりするなどして対応しましょう。

59

Q 寝たと思っても、すぐに起きてしまう

A ― 深い眠りに入れない要因として考えられるのは、**①寝かしつけの時点で疲れすぎている ②快適に眠れる環境ではない ③クセがあるので敏感になっている** などが主です。それぞれの要因ごとの対策は以下です。

①連続して長く起きすぎていないか、月齢別の目安（↓P47）も参考に見直しましょう。

②光や音、室温や服装など刺激になって起こしてしまう要因がないか、チェックしましょう（↓4章参照）。

③何がクセになっているのかを把握し、クセをとる練習をしてみましょう（↓5章参照）。

60
Q 夜中に起きて覚醒してしまう

A― 機嫌良く起きているなら、眠くないのかもしれません。**昼寝が長すぎたり、夜寝るのが早すぎたりすると、睡眠時間とされている時間が長すぎて途中起きて〝寝るのを休憩〟してしまうこともあります。**

月齢にもよりますが、赤ちゃんの夜の睡眠時間は10〜12時間程度（低月齢だともっと短いこともあります↓P49参照）。12時間寝られない子は珍しくありません。しかし、ママやパパが「19時に寝かしつけて7時まで寝ていて欲しい」と思って行動していると、寝切れずに夜中に休憩してしまうことがあるのです。月齢ごとの目安も参考にしつつ、お子さんはどのくらいの長さの睡眠がちょうどいいのか、記録をつけながら見極めてみてください。

61
Q 寝返りをして起きてしまう

A― 無意識のうちに寝返りの練習してしまっているのかもしれません。**まずは〝仰向けとうつ伏せどちらが寝やすいのか〟観察してみましょう。**仰向けのほうが寝やすい子なら、うつ伏せになったときに黙って戻します。それでもひっくり返ってしまうなら、寝入りのときだけ少し手で抑えてあげるのも有効です。うつ伏せのほうが寝やすい子は、仰向けに戻されると怒ってさらに泣いてしまう可能性があります。その場合はうつ伏せのまま寝かしつけるとスムーズです。

　ただし、寝返りがえりが未習得の場合は窒息リスクもあるので、眠り始めは横について、眠りが深くなったら仰向けに戻してあげましょう。どちらの場合も大切なのは、うつ伏せで寝てしまっても安全な環境を整えておくことです（↓5章参照）。

62 Q こんなに何度もおっぱい飲ませて大丈夫？

A ― **ママが楽ならそれでも大丈夫！** ただし、赤ちゃんが吐いてしまうなどお腹がパンパンの様子があれば短い間隔での授乳は避けましょう。授乳直後や授乳からさほど時間の経っていないタイミングであれば、泣いているのは他の理由の可能性が高いですよね。もし母乳の分泌に不安があるなら、お近くの母乳外来などにかかってみてください。「寝る＝飲む」をクセにしないためにも、授乳以外の寝かしつけの方法（↓P83）を練習してみるのはおすすめですよ。

63 Q 毎朝4時や5時にファンファーレ泣き

A ― いわゆる「早朝起き」ですね。原因としては、「**①朝日の光漏れ**」「**②寝るのが早すぎる**」「**③昼寝が長すぎる／短すぎる**」「**④昼寝～就寝までの時間**

が長すぎる」「⑤生活リズムの乱れ」「⑥室温の変化」「⑦騒音」などが考えられます。遮光の徹底やエアコンなどによる室温管理、ホワイトノイズを活用した騒音対策はすぐに取り組みやすいポイント。それ以外にも昼と夜のメリハリをつけて生活リズムを整えたり、睡眠時間を調整したりすることが対策となります。

昼寝の時間調整は難しいですが、睡眠時間目安表（➡P49）も参考にしつつ、ベストを探ってみましょう。早すぎる朝寝は生活リズム全体の前倒しにつながる可能性があるので、できる限りいつもの時間近くまでひっぱってリズム調整してください。

［睡眠環境］

64

Q 子どもの寝室は親と同室・別室、どっちがいい？

A―お子さんの気質やご家庭の状況によります。別室のほうがよく寝られるお子さんもいます。ただし、**アメリカの小児科学会が安全な睡眠環境のための指針として出しているのは、〝同室で別の寝床で寝ること〟**です。同室の方が赤ちゃんに何か異変があったときに気付きやすいためです。低月齢のうちは同室で、成長してから別室に移動するのも１つのアイデアですね！

65

Q 子どもの寝る場所は大人用の布団でもいい？

A 1歳になるまではかためのベビー布団をおすすめします。やわらかい布団はうつ伏せになったときに鼻や口を塞いでしまう可能性がある上に、骨や筋肉が未発達の赤ちゃんにとっては成長の妨げになってしまう可能性があるためです。

大人が砂浜を走るとき、アスファルトと同様には走れないように、下がやわらかいと力が分散して寝返りなどもしづらくなってしまいます。そのため、0歳のうちはベビー布団で、その後も寝かせたときに、体を自由に動かせるものを選ぶようにしましょう。

66

Q ベビーベッドで寝てくれない

A 練習次第で寝てくれます！ 泣いてしまうかもしれませんが、赤ちゃんが泣くのは悪いことではありませんし、ママやパパのせいでもありません。今は添い寝でママやパパの隣で寝るのが自分の寝る場所と認識しているはずです。まずはその認識を変えていくことが大切です。

言葉やジェスチャーで、いつからどこで寝るのか、なぜそこに移動するのか、できるだけ明るい声色とポジティブな言葉を選び、笑顔で伝えてあげましょう。そして、ベビーベッドに置いて、「ここがあなたの寝る場所だよ」

とやさしく語りかけます。月齢や方針にもよりますが、泣き続けるようなら抱き上げても構いません。でもまずは置いて、少し見守って、本来寝るべき場所を徐々に教えていきましょう。

67

Q ベビーベッドの卒業時期はいつ？

A―メーカーの説明書を参照してください。**標準サイズだと24ヵ月、ミニサイズだと12ヵ月とされているものが多い傾向にあります。**ベビーベッドは最も安全な寝床なので、できるだけ長く使うことをおすすめはしますが、つかまり立ちをしたら安全のために床板を下げます。それでも自力でのぼりおりするようになったら、制限となる月齢より前でも別の寝床を検討することをおすすめします。

68

Q ベビーベッド卒業後はどう寝かせるのがいい？

A―4つの方法をご紹介します！「**①お布団を使う**」「**②キッズベッド（ジュニアベッド）を使う**」「**③シングルベッドを使う**」「**④大人ベッドで添い寝する**」

1歳半未満の場合は①の方法をおすすめします。②～④いずれのベッドでも転落の危険性があり、それを予防するためにベッドガードを使用することになる方も多いのですが、そのベッドガードの使用が1歳半～（窒息防止のため）であるためです。きょうだいがいるお子さんの場合、二段ベッドを検討されることもあるかと思いますが、多くの二段ベッドの上段は6歳以上でないと使用できないので注意してください。

69
Q 添い寝をしたいが、子どもの寝相が悪くて親の寝るスペースが確保できない

A ― 子どもは寝相が悪いものです。その寝相を矯正するのはなかなか難しいでしょう。添い寝を希望される場合は、寝相との戦いからは逃れるのは難しいです。ですが、ベビーサークル越しに添い寝をする方法（➡P59）であれば、隙間から手を繋いだり、撫でてあげたりしつつ、ダイナミックな寝相の被害を受けることなく寝ることが可能です。

70
Q 布団で添い寝するときに気をつけることは？

A ― 安全面に配慮するようにしましょう。大人の掛け布団が顔にかかってしまわないように、また触れ合う体温で暑くなりすぎないように、できれば布団と布団の距離をとることをおすすめします。もしくはベビーサークルを配置するなどして、お子さんの睡眠エリアを区切ってあげることも有効です。

71
Q 枕は必要ないの？

A ― 必要ありません。寝床にやわらかいものがあるのは窒息のリスクになるの

で、少なくとも0歳のうちは避けましょう。大人に枕が必要なのは、背骨がS字になっているためです。赤ちゃんはまだS字カーブができあがっていないため、枕は不要です。

72
Q 寝返り対策でペットボトルやうつ伏せ防止ガードは？

A─おすすめしません！ それ自体が窒息要因になってしまう可能性がありま す。寝返りでうつ伏せになるのが心配でも、一晩中監視しているわけにいきませんよね。だからこそ、安全な環境整備が大切なのです。

P54を参考に、窒息リスクを避け、うつ伏せになっていたらそっと戻してあげましょう。寝返りがえりがスムーズにできるようになれば、無理に戻すこともありませんよ。

73
Q ベッドに置くと吐き戻す

A─少量であればさっと拭き取るだけでOK。大量に吐き戻してしまう場合、まずは授乳後にしっかりゲップをさせることを意識してください。もしくは授乳量が多すぎるのかもしれません。理由がわからないと感じたら、小児科に相談してみましょう。

74
Q 吐き戻しが多いので斜めに寝かせるべき？

A─リスクがあるため、おすすめしません。10〜30度の傾斜は赤ちゃんを死亡させた事例があるとして、傾斜型のベビーベッドの中にはアメリカ消費者製品安全委員会などから警告やリコールが出ている商品もあります。

75

Q 遮光カーテンを使っているが光が漏れてしまう

A カーテン部分からも光が漏れているなら、等級が低いのかもしれません。低い等級のものだと外の光が透けてしまいます。1級遮光以上のものに買い換えるか、遮光のカーテンライナー（裏地）を付け足して対策してみましょう。カーテンレールの隙間やカーテンの下や横から光が漏れている場合は、遮光テープやマジックテープ、タオルなどを活用して漏れている部分を塞いでみましょう（↓P62参照）。

76

Q 赤ちゃんにとっての適温は？

A **大人が快適と感じる温度、もしくはそれより少し涼しい程度**が目安です。数字で見るのも大事ですが、肌感覚も大事です。その上で、数字を参考にするのであれば、夏は25〜27℃、春秋は20〜22℃、冬は18〜20℃程度でエアコン設定するのが適温の目安です。室温に合わせて衣服も快適に整えてあげましょう（↓P66参照）。

77

Q ホワイトノイズはどう使えばいい？

A 寝室の中で使います。物音がする方

基礎知識・成長発達 / 寝かしつけ / 昼寝 / スケジュール / 夜中の対応 / 睡眠環境 / ねんねトレーニング / 新環境などの対策

向の壁近くに置くのがおすすめです。たとえばリビングからの音を防ぎたいのであれば、寝室の中のリビング側の壁あたりに設置しましょう。

ホワイトノイズの音量は**マシンの近くで測って50～60 dB程度、赤ちゃんの耳元で45～50 dB程度であれば安心です。頭から2m以上離した位置**に設置するのが理想ですが、部屋の大きさによってそこまで距離が取れない場合は、耳元で測った音量に合わせて調節してみてください。

これより少し大きめの音量で使う場合、大人が活動している時間帯（例：赤ちゃんが19時半に就寝してから、大人が寝る22時半までの間など）は赤ちゃんの耳元で60 dB程度の少し大きめの音量で流しておき、大人が寝るときに音量を下げるのも良いでしょう。

音を消しても赤ちゃんがびっくりして起きることがなければ消してもＯＫですが、寝ついたときと状況が変わっていることにびっくりして起きてしまう可能性もあるので、その場合は朝までつけっぱなしにすることを推奨します。どうしても大人が気になってしまう場合、ザーーーサーーーなどの音ではなく、雨の音など自然音を使っていただくと気になりづらいですよ。

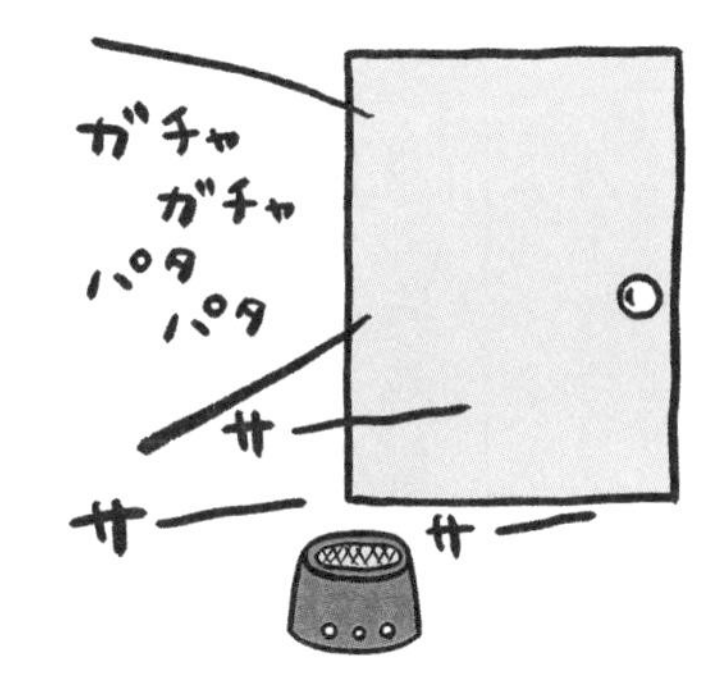

78
Q ホワイトノイズがないと寝られなくなるのが心配

A ホワイトノイズは卒業しなければならないものではありません。大人にとっても騒音を軽減させて眠りやすくしてくれる効果が期待できるものです。事情があって卒業させたい場合は徐々に音量を小さくしていくと良いでしょう。メロディーになっているものではないのでクセにはなりづらく、あまり心配は要りません。コードレスタイプのホワイトノイズマシンがあると持ち運びができて、旅行などにも安心です。もしくはBluetoothスピーカーを持参して、スマホのアプリから流すのもかさばらなくておすすめです。

[ねんねトレーニング]

79
Q ねんねトレーニングはいつからしていいの？

A **生後6ヵ月以降をおすすめしています。**自信を持って取り組んでいただくために推奨されている月齢に達してから行うのが良いと考えます。ねんねトレーニングを始める条件についてはP94で詳しく解説しているので、そちらもあわせてご確認ください。

80
Q ねんねトレーニングは何歳までできる？

A **親主導のねんねトレーニング方法は**

1歳半くらいが限界になってきます。成長してくると意思も体の力も強くなってくるので、寝室に置いていかれても納得いかなくて泣き続けたり、ゲートを突破してリビングに出てきてしまったりする可能性も出てくるためです。幼児さんには幼児さん向けのトレーニング方法があります。P113で解説しています。

81

Q ねんねトレーニングはどのくらいで効果が出る?

A―入退室する方法であれば、正しく1週間続ければ変化は見えてくるはずです。何も変化もみられない場合はスケジュールや睡眠環境など前提の条件を見直してみましょう。離れながら見守る方法やそばで見守る方法などの場合、部屋の中でどの程度介入するかによって効果が出るまでの時間に差が出てくるでしょう。

介入すればするほど長引く傾向にはなりますが、短期間で解決したいのか、時間はかかっても良いからやさしく取り組みたいのか、ご家庭の方針で選んでください。

82

Q ねんねトレーニングで朝まで寝てくれるようになる?

A―ねんねトレーニングにも様々な方法があり、やり方によってはクセが残ったりすることもありますし、夜間の授乳を残しながらトレーニングするケースもあります。なので、**100%朝までぐっすりになりますとは言い切れませんが、自力で寝る力、少し起きてし**

まってもまた自分で眠りに戻る力は確実につけることができます。トレーニング以前と比較すると睡眠は改善させることができます（もちろん、朝までぐっすりになったケースもたくさんあります！）。

83

Q ねんねトレーニング＝夜は断乳？

A―**夜間の授乳を残しながらねんねトレーニングすることは可能です！**　ねんねトレーニングをするからといって、夜間一度も授乳してはいけないなどの決まりはありません。授乳をする場合は時間を決めて、その時間になったらサッと授乳をし、終わったら改めてルールにのっとった対応をはじめます。

ですので、「夜間授乳をしていたいからねんねトレーニングは無理…」などと思う必要はないのです。

84

Q ねんねトレーニングはしなくちゃいけないもの？

A―そんなことはありません！　セルフねんねを目指すかどうかもご家庭ごとに決めてOKです。統一のゴールを目指す必要なんてありません。ママやパパがラクと感じられるゴールはどこにあるのか、まずはそこを見極めるのが大切です。本当は求めてもいない高いゴールを目指して走って、息切れしてしまうのは本末転倒。トントンで寝かしつけしていても、ママやパパが幸せならそれでいいのです。

85

Q ねんねトレーニング中に風邪をひいてしまったら？

A **体調不良時は中止しましょう！** 鼻が詰まっているだけでも寝苦しくなるものです。回復するまでは甘えさせてあげましょう。体調が良くなってきたら徐々にサポート度合いを下げていきます。完全に体調が戻ったら、中断したところに戻って再開しましょう。心配なら少しゆるめたところから始めても良いですよ。

86

Q 泣いているのを見守るのがつらい

A 短期間でトレーニングするなら、少なからず泣きを伴う方法を取り入れていただくことをおすすめしますが、「セルフねんね＝泣かせる」かと言われれば必ずしもそうではありません。実際に私自身は娘をほぼ泣かせることなくセルフねんねを身につけさせています（半年ほどかかりましたが）。ご家庭ごとに〝ここを目指したい〟〝これならできる〟というものを見つけていくのが大事です。

87

Q 近所迷惑になるのが心配なので昼から取り組みたい

A 夜できないことを昼に求めるのは、なかなか困難です。日中は体が寝ようとする力が弱く、夜のように〝泣いたけれども疲れて結果的に寝る〟という流れを作る難易度が高いのです。こじれてしまって、何時間も寝られなくなった末に昼寝のリズムが崩れてしまう恐れもあります。ねんねトレーニングを行うのなら夜がおすすめです。

88
Q ねんねトレーニングのご近所対策は？

A プチギフトを持ってご挨拶しておくのはいかがでしょうか？「今後の泣き声を減らすトレーニングをしたいと思います。一時的に泣きが強くなってご迷惑をおかけするかもしれませんが、ご容赦ください」と丁寧に挨拶をしておけば、ある程度はトラブル防止につながります。「大丈夫ですよ！」と笑顔で返答してもらえたら楽になりますよね。相手の反応をみてから、実施を判断するのも良いかもしれません。

89
Q 泣かせっぱなしにすると愛着形成に問題が出る？

A 大丈夫、問題はありません。でも気持ちとしては心配ですよね。そんな方の心の支えになるかもしれない研究があります。2012年にオーストラリアの研究者たちがねんねトレーニングの長期的な影響についての研究を発表しているのですが、その中で**ねんねトレーニングをしても〝問題行動やストレスレベルに差がなかった〟**という結果が報告されています。つまり〝愛着形成に悪影響はなかった〟ということになります。もちろん、おなかがすいた、おむつが気持ち悪いなど理由があって泣いている場合は速やかに対応してあげることが愛着形成につながります。

90

Q ねんねトレーニングにパパが反対

A—**ご家庭内での合意は成功のための超重要ミッションです！**　パパとよく話し合って、お互いに合意が取れてから実践することを強くおすすめします。パパが反対する理由は何でしょうか？　泣かせるのがかわいそうだから？　一時的にでも激しく泣かれるのが嫌だから？　理由を明確にすると、パパにも本を読んでもらう、その期間だけ寝室を分ける、などの対策が見えてくるかもしれません。

91

Q 「ねんねトレーニングなんてかわいそう」と言われた

A—**私からお伝えできるのは、ねんねトレーニングは決してかわいそうなことではないということです。**睡眠不足で1日中機嫌が悪く、ママやパパもイライラしている状態と、一時的に泣きを伴っても自分で寝られるようになり、ママやパパもニコニコしている状態、どちらが赤ちゃんにとって幸せでしょうか？　これを目指すのはかわいそうではなく、家族の幸せのためだと考えています。

92

Q 昼寝のトレーニングはどう取り組むべき？

A―まずは夜からが基本です。もし昼に行う場合はルールに則ったねんねトレーニングではなく、30分経ったら切り上げるなど泣かせる時間を区切る工夫は必要です。そうでないと昼寝のスケジュールが崩れて、1日中グズグズしたり、夜に響いたりしてしまう可能性もあるためです。

寝かしつけのクセをとるために、抱っこからおろしてみたり、添い乳をやめてみたりするのは良いトライです。クセを減らすことによって、長時間寝続けたり、ママやパパの自由時間を増やしたりすることにつながります（クセの取り方は↓5章参照）。

日中のねんねの練習をするなら朝寝から取り組むのがおすすめ。基本的には〝朝寝→昼寝→夕寝〟の順番に難易度が上がっていくので、特に夕寝ではあまり多くを求めすぎないことをおすすめします。

93

Q 家が狭くてねんねトレーニングができない

A―ワンルームにお住まいの場合、離れながら見守る方法やそばで見守る方法でトレーニングが可能です。周りのおもちゃなどが気になってしまう場合、寝るときは空間を仕切ってあげるのもおすすめ。つっぱりカーテンやパーテーションなどを用いて、寝る場所を区切ってあげられると寝やすくなります（地震対策は必須）。独立した寝室はあるがベビーベッドが置けないという場合は、お布団をベビーサークルで囲む方法や部屋中に布団を敷き詰めて安全な環境を整えた上で、ドアにゲートをつけて行うこともできます。

94

Q 上の子が起きてしまうので ねんねトレーニングができない

A―できる工夫は2つ。**「①寝室を分ける」「②寝かしつけのタイミングを分ける」**

①ができる場合は夜中のトレーニングも可能です。②の場合、夜中に泣かせっぱなしにすると上のお子さんが起きてしまうのが心配であれば、まずは最初の寝かしつけの際だけトレーニングに取り組むのもOKです。下のお子さんを寝かしつけている間、上のお子さんが待っていられなさそうなら、下のお子さんの寝かしつけのお助け隊として役割をあげるのも一手です。たとえばスリーパーを着せる係、トントン係、手をつないであげる係など役を与えられると頼りにされていることを喜んで協力してくれやすくなりますよ。

【新環境などの対策】

95
Q 保育園入園前、気をつけることは？

A 入園前に保育園に入ることをしっかり伝えてあげましょう。お散歩のときに保育園の前に行って、「お兄ちゃんたち、楽しそうだね～」とポジティブな声がけをすると「ここは楽しいところなのか」という認識につながります。

また、起床時間や就寝時間がバラバラな場合は、保育園の生活リズムにあわせる練習をしておきましょう。ただし、保育園ではお昼寝が1回と資料に書いてあるからといって、あわててお昼寝を1回にする練習をする必要はありません。入園後に先生とも相談しながら、徐々に慣れさせていきましょう。

96
Q 保育園での昼寝が少なくて、寝ぐずりする

A 最初の頃は新しい環境になかなか馴染めず、眠れないことが多いです。そうなるとお迎えの時点で疲れがピークを超えていることになります。**帰り道に抱っこ紐やベビーカー、チャイルドシートなどで休息をとらせてあげるのがおすすめ**です。帰宅後すぐに授乳をして一旦寝落ちさせてあげるのも良いでしょう。お迎え時刻や月齢にもよりますが、あまり遅くに長く寝かせてしまうと就寝時間に影響が出てしまうので、15～30分程度が目安になります。

帰宅後、速やかに寝かせるのも1つですが、子どもがずっと機嫌が悪い中、ご飯やお風呂などをこなす必要があります。しかも疲れすぎた状態で寝かしつけるため、寝ぐずりや夜泣きにつながりやすく、親のストレスが大きいので積極的にはおすすめしていません。

97

Q 引っ越しの際、気をつけることは？

A―お引っ越しをすることを新しいお家も見せながら予告してあげましょう。

赤ちゃんにとっての環境変化は、大人以上に一大事。そこが安心できる場所なのか、新しい場所や空気に不安がいっぱいです。その不安がゆえに夜泣きが悪化してしまったり、1人で寝られなくなってしまったりする可能性も考えられます。

赤ちゃんの不安を解消するのはママやパパの笑顔と声のトーンです。ニコニコしながら明るい声で「今度ここに住むんだよ〜。楽しみ〜！」などと新しいお家の写真を見せたり、実際に前に行ったりして、お話ししてあげましょう。

引っ越し後すぐにはこれまで通り寝られないかもしれません。スキンシップを多めに取り、ぐずるようであれば数日は一緒に寝てあげるなどの対応をしてあげても良いでしょう。

98

Q 旅行に行くとき、持っていくと良いものは？

A―できるだけ、普段ご自宅で使っているものを持参しましょう。パジャマやホワイトノイズマシンなど、普段通りの環境がつくれると安心しやすくなります。

滞在先によっては窓の遮光ができないこともあるので、黒い大きい布や遮光のマスキングテープなどもあると便利です。

99

Q スケジュールが崩れるのが怖くて旅行に行けない

A **旅行は特別な時間！　気にしすぎず、楽しみましょう！**　スケジュールばかり気にしていると、せっかくの旅行の楽しさが半減してしまします。移動時間や大人向けの観光スポットでの時間をうまく使って、寝かせてあげましょう。旅行に行きたいのに怖くて行けず、ストレスが溜まって育児でもイライラしてしまうくらいなら、思い切って行くことをおすすめします。

100

Q 下の子が生まれます。気をつけることは？

A おめでとうございます。産後はパパと寝ることも増えるので、今のうちに練習しておけると良いですね。無理に上のお子さんのトレーニングをするのではなく、下のお子さんがねんね上手になってくれるように働きかけるのおすすめですよ。

特別
付録

新生児～3歳まで対応！

月齢別
ねんねガイド

生まれたばかりの赤ちゃんはまだ昼と夜がわからず、寝たり起きたりを繰り返します。
連続で起きていられる時間の目安は1〜1.5時間。
個人差はありますが、親が思うよりも早く眠くなってしまうことも。
ぐずり出したら、授乳やおむつ交換だけではなく、眠いのかな？　と考えてみてくださいね。

トータル睡眠時間目安：14〜17時間　昼寝回数：たくさん　寝かしつけ目安：1時間

❶昼夜を教えてあげよう

日中は明るく、夜は暗くして過ごしましょう。朝起きたらカーテンを開けて元気に「おはよう！」とあいさつ。お昼寝も明るいところがおすすめ。

夜は寝る1〜2時間前にはリビングを薄暗くし、もうすぐ寝る時間だと教えてあげましょう。寝室はできるだけ真っ暗、お世話のためのライトは床置きで、光源が目に入らない場所にできるだけ暗くして置きましょう。

❷モロー反射対策にはおくるみ

モロー反射で起きてしまう場合はおくるみの活用がおすすめ。

上手に巻くのが難しい！　という場合は、面ファスナーやチャックで留めるなど簡単におくるみができる製品を活用すると良いでしょう。

包まれることによってママのお腹の中を再現し、安心して長く寝てくれることが期待できます。

スケジュール例

睡眠　母乳／ミルク

時間	母乳／ミルク	
0		
1	母乳／ミルク	★母乳の場合は軌道に乗せることを優先
2		
3		
4	母乳／ミルク	
5		
6		
7	母乳／ミルク	★光を入れて起こす
8		
9		
10	母乳／ミルク	
11		
12		
13	母乳／ミルク	
14		★日中は明るい場所で赤ちゃんのペースで過ごす
15		
16	母乳／ミルク	
17		
18		
19	母乳／ミルク	
20		
21		★寝室へは起きているときに移動、21時頃でもOK
22	母乳／ミルク	
23		

❸抱っこして笑顔で話しかける時間をつくろう

この頃の赤ちゃんはまだ25〜30㎝くらいの距離でしか焦点が合いません。これはちょうど抱っこした時のママやパパの顔あたりの距離です。

赤ちゃんの遊び方がわからなくても、抱っこして話しかけるだけで十分遊びになりますよ。

❹お風呂は機嫌のいいときに

沐浴のタイミングに決まりはありません。夜寝た後に起こして入浴させる…ということだけは避けたいですが、そうでなければ機嫌のよい時間に入れてあげましょう。

※スケジュールはあくまで一例です。個人差や夜の睡眠時間によって日中の睡眠量や活動時間は変化します。
この通りにしなければ！と思わず、お子さんのリズムに合わせてあげてください。

まだまだ長く起きていることは難しく、起床から1〜1.5時間程度で眠くなることがほとんど。1日中、寝たり起きたりを繰り返します。
昼と夜を覚えてもらうためにも、日中は明るく、夜は暗く過ごすことを心がけましょう

トータル睡眠時間目安：14〜17時間　昼寝回数：たくさん　寝かしつけ目安：1時間

スケジュール例

睡眠　母乳／ミルク

時間 0
1
2
3
4
5
6
7
8
9
10
11
12
13
14
15
16
17
18
19
20
21
22
23

★母乳の場合は軌道に乗せることを優先

★光を入れて起こす

★日中は明るい場所で赤ちゃんのペースで過ごす

★お風呂は夜遅すぎない時間に習慣づける

❶昼は明るく夜は暗く

昼夜を覚えてもらうためにも、昼は明るく夜は暗く過ごしましょう。明るくといっても昼寝の際はテレビを消し、ねんねの邪魔になるものは取り除いてあげましょう。

夜長く寝るようになってきたら、昼寝は寝室に移動しても良いですよ。

❷おくるみとホワイトノイズを活用しよう

安心して寝てもらうために、ママのお腹の中を再現しましょう。おくるみに包み、ホワイトノイズを流すことで再現できます。

上手に巻くのが難しい！　という場合は、面ファスナーやチャックで留めるなど簡単におくるみができる製品を活用すると良いでしょう。

❸泣いている理由を慌てず考えよう

赤ちゃんが泣いたら、慌てずまずはなぜ泣いているのかを考えましょう。

うんち？　暑い？　お腹が苦しい？　かゆい？　お腹が空いている？　眠い？　考えられるものを探ってみましょう。

もしかすると、ただ感情を放出しているだけかもしれません。ママやパパが悪いから泣いているわけではないですよ。

❹なんでも自分のせいにしない

泣き止まないのはあなたのせいではありません。泣きたいだけの気分だってありますし、赤ちゃんが泣いている＝泣き止ませなくてはいけない、ということではありません。

安全な環境に赤ちゃんを置いて、少し離れて気持ちを整え直すのも有効ですよ。数分泣かせたところで、赤ちゃんとの絆は揺るぎません。

※スケジュールはあくまで一例です。個人差や夜の睡眠時間によって日中の睡眠量や活動時間は変化します。この通りにしなければ！と思わず、お子さんのリズムに合わせてあげてください。

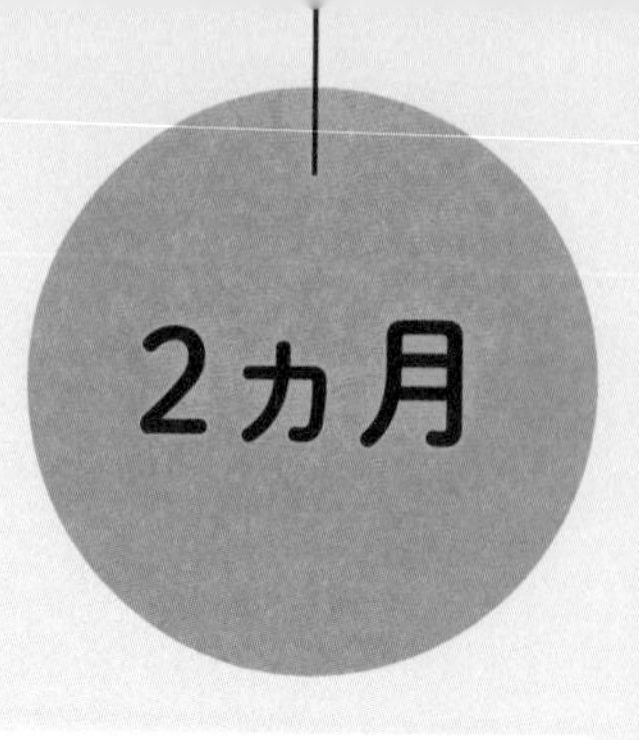

昼夜のリズムがつかめてきて、夜に目を覚ましてもミルクを飲んですぐ寝て、日中起きている時間が長くなる子も出てきます。
日中に赤ちゃんが連続で元気に起きていられる時間の目安は1時間半。目をこすったり、顔をこすりつけたりしていたら眠いサインですので、寝かしつけをしてあげましょう。

トータル睡眠時間目安：14〜17時間　昼寝回数：3〜5回　寝かしつけ目安：1.5時間

❶寝る場所を教えてあげよう

これまでずっと抱っこで寝かしつけられてきた赤ちゃんは「寝る＝抱っこ」だと認識している可能性が高いです。

寝かしつけのとき、まずはベッドや布団に置いて、ねんねはここでするものと教えてあげましょう。

泣いてしまって結果的に抱っこで寝てもOK。まずはおろす→泣いて抱き上げる→おろす→泣いて抱き上げる…を繰り返して、おりて寝る練習をしていきましょう。

❷リズムをつけなきゃ！ と思いすぎない

まだまだ日中いつ寝るかは赤ちゃん次第です。短く起きてしまう場合は回数で稼げばOK。

リズムをつけようと必死になる必要はありません。赤ちゃんをよく観察して、眠いタイミングを見つけてあげましょう。

❸うつ伏せで遊んでみよう

タミータイムとも言いますが、うつ伏せの練習をしてみましょう。首の筋肉や背中の筋肉を鍛えられ、寝返りやハイハイなどの運動能力獲得につながります。

ママやパパが一緒にうつ伏せになり、首を持ち上げてお手本を見せてあげましょう。

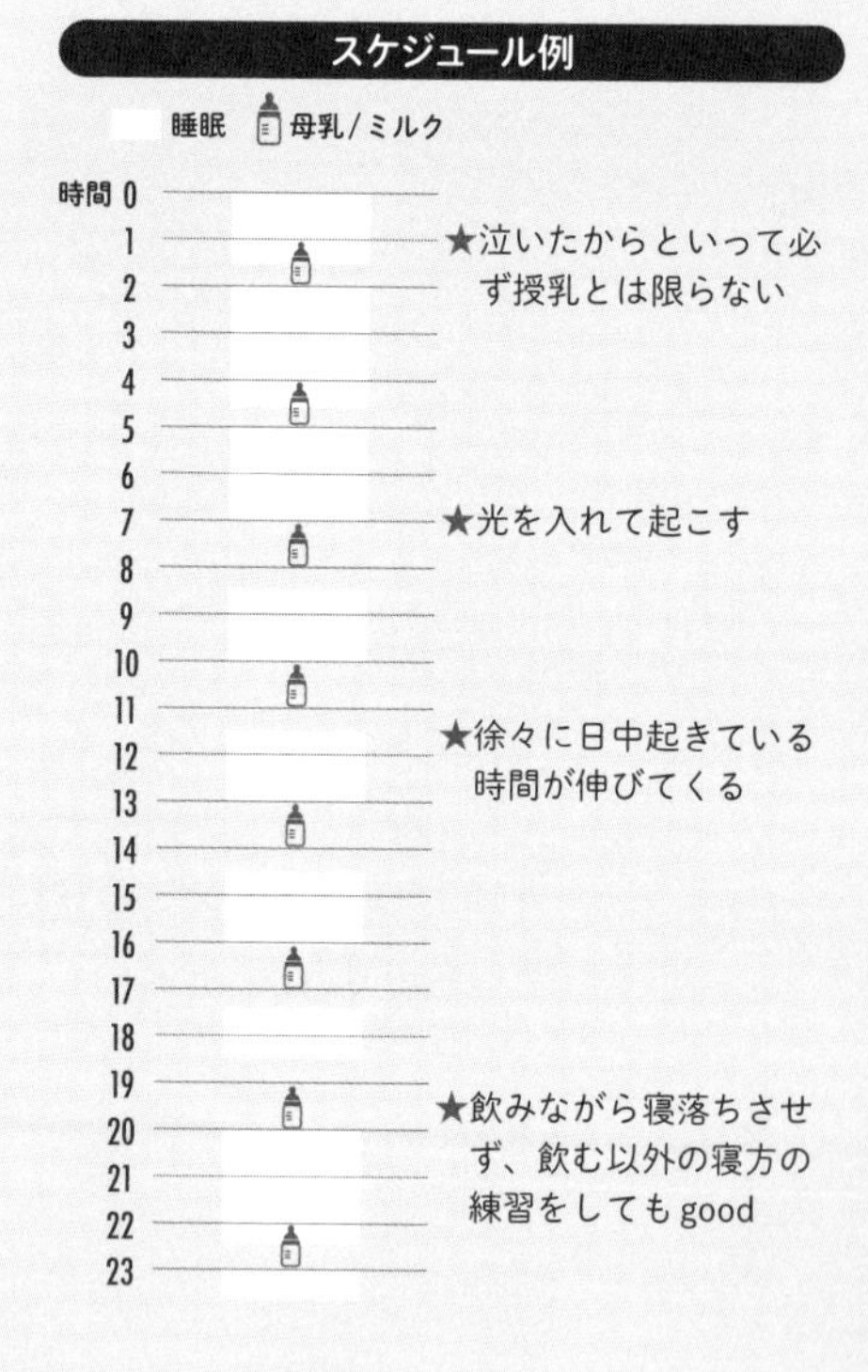

※スケジュールはあくまで一例です。個人差や夜の睡眠時間によって日中の睡眠量や活動時間は変化します。
この通りにしなければ！と思わず、お子さんのリズムに合わせてあげてください。

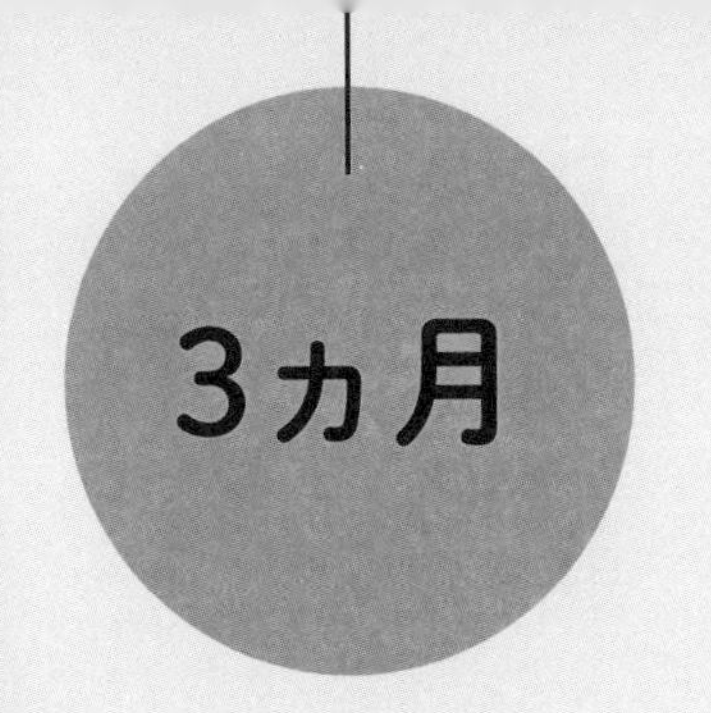

この頃になってくると睡眠サイクルができてきます。睡眠サイクルとは波のような形で深い睡眠から浅い睡眠になり、また深い睡眠になる…というイメージです。
このサイクルの切れ目には覚醒が起こりやすくなり、夜は1～2時間おき、昼は30～40分おきに起きてしまいやすくなるお悩みが増えてくる月齢です。

トータル睡眠時間目安：14～17時間　昼寝回数：3～5回　寝かしつけ目安：1.5～2時間

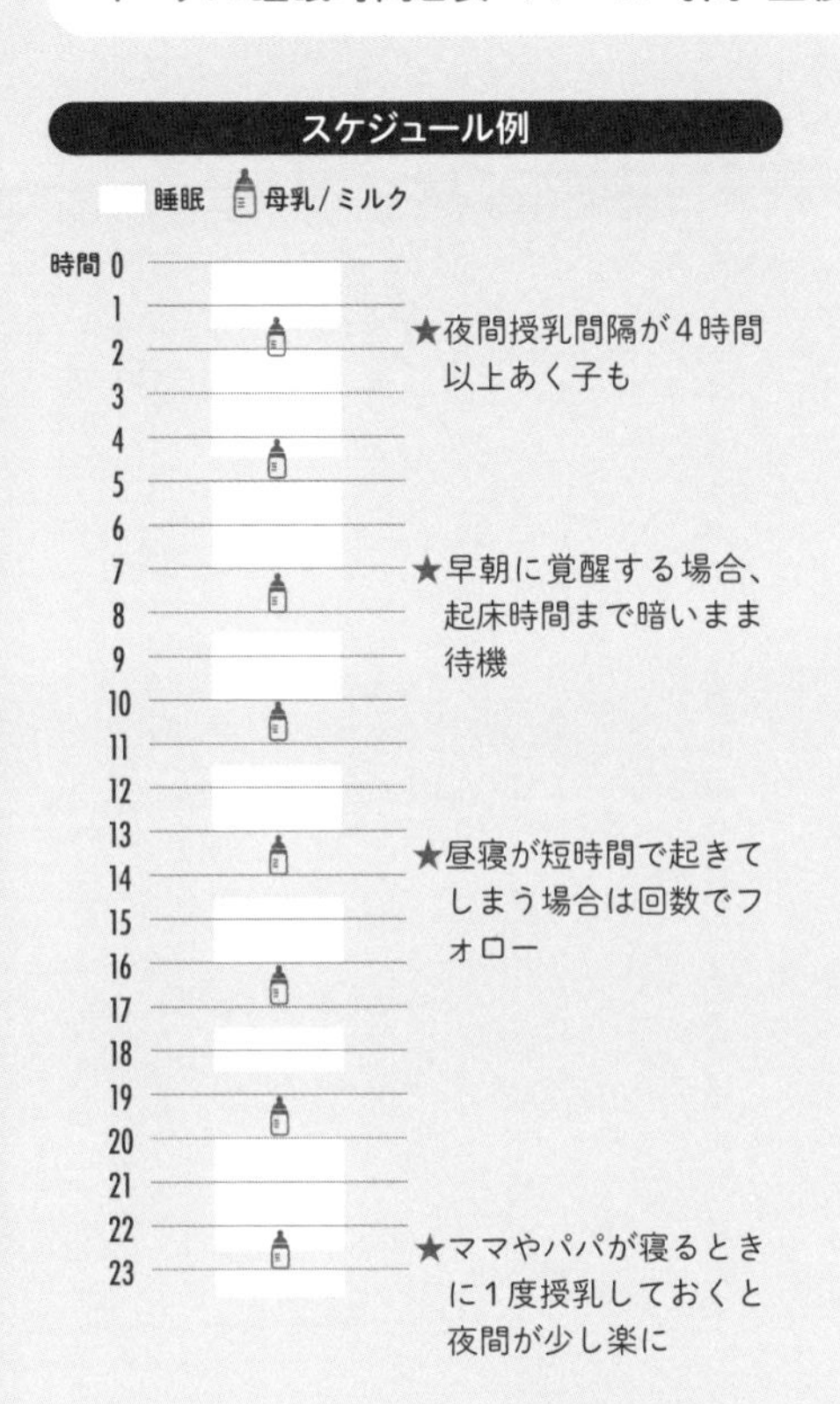

❶睡眠サイクルを意識しよう

抱っこからどうしてもおろせない！　というときは眠りが深くなった寝つきから10～15分後くらいのタイミングを狙ってみましょう。
どうしても30分でお昼寝から起きてしまう子は25分くらいから横についてトントンするなど、次のサイクルに入れるようサポートしてみましょう。明るいところで寝ている子は、暗い部屋で寝かせることで長く寝てくれることもあります。

❷寝ついたときと同じ環境を維持しよう

泣いて起きてしまう原因の1つが環境変化への驚き。抱っこで寝たはずなのにおろされている、リビングで寝たはずなのに寝室にいる…などということは驚いて起きる原因に。寝ついてからも同じ環境が維持できるように意識してみましょう。

❸お風呂は就寝1時間前を目安に

入浴によって上がった体温が下がってきたときが眠りに入りやすいタイミング。寝かせたい時間の1時間前を目安に入浴しておくと良いでしょう。その後、ルーティーンをして寝かしつけをしましょう

※スケジュールはあくまで一例です。個人差や夜の睡眠時間によって日中の睡眠量や活動時間は変化します。この通りにしなければ！と思わず、お子さんのリズムに合わせてあげてください。

急激にねんねが乱れることの多い時期です。
脳の中の感情を表現する部分の発達によって「不快だ〜！」という感情を強く感じるようになり、寝ぐずりもしやすくなります。
でも、これも１つの成長のサイン。
「ねんねが下手になった！」と慌てず、睡眠環境やスケジュールの基本を見直してみましょう。

トータル睡眠時間目安:12〜15時間　昼寝回数:3〜4回　寝かしつけ目安:2時間

❶基本のポイントを見直してみよう

ねんねがうまくいかなくなってしまったら、基本に立ち返り、睡眠環境やスケジュールを見直してみましょう。

成長発達によって感覚が鋭くなっています。今までは見えなかった遠くのものもだんだん見えるようになり、これまでは気にならなかったことが睡眠を阻害する要因になっているかもしれません。

❷就寝前に長く起きすぎないように注意

この頃、連続で起きていられる時間の目安は2時間程度です（個人差あり、夜の睡眠が長い子は目安より長く起きていられることもあります）。

連続であまり長く起きすぎていると、疲れて脳が興奮し、寝つきづらくなる可能性があるため、注意しましょう。

❸この時期からの夜更かしに注意

徐々に生活リズムができてくる頃です。22時など大人の生活時間に合わせた就寝は避けましょう。19時には部屋を暗くし始め、20時台までには寝室で寝かしつけができるように生活を調整していきましょう。

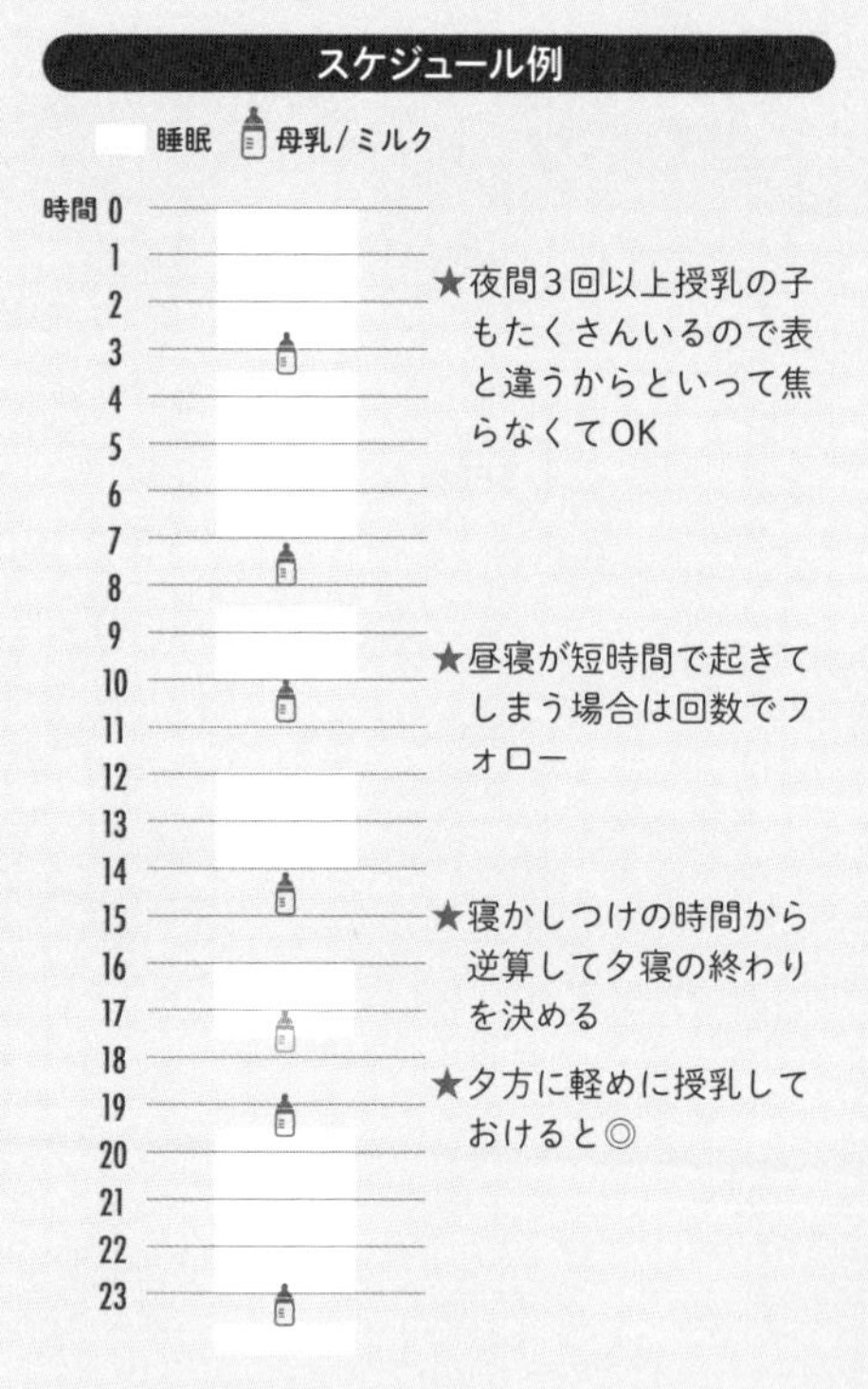

※スケジュールはあくまで一例です。個人差や夜の睡眠時間によって日中の睡眠量や活動時間は変化します。
この通りにしなければ！と思わず、お子さんのリズムに合わせてあげてください。

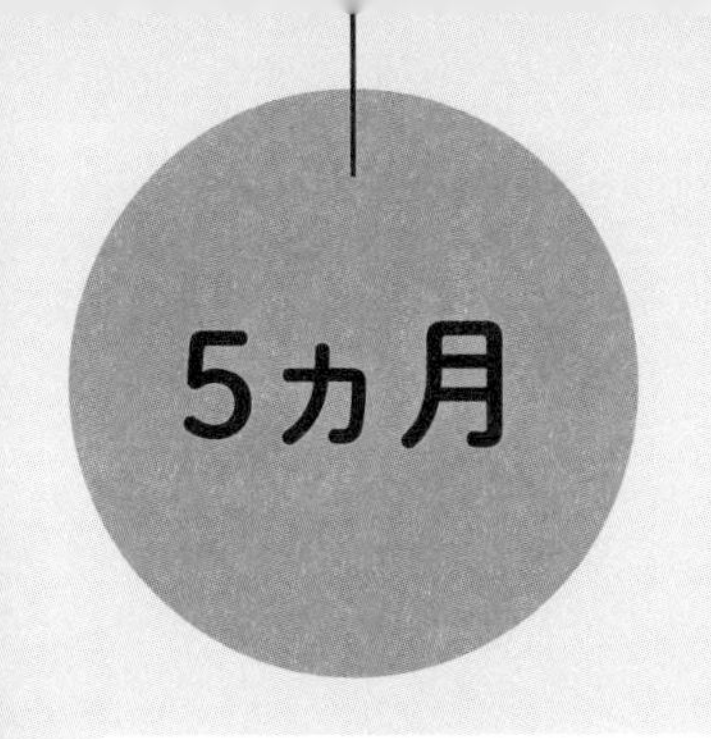

5カ月

早い子では寝返りができるようになり、寝返りして寝つけなくなることに悩まされることが増えます。安全な睡眠環境であることを再度確認し、窒息リスクを下げましょう。

離乳食と睡眠が重なって寝かしつけのタイミングに悩むこともあるかもしれませんが、睡眠を優先して機嫌の良いときに食べさせてあげましょう。

トータル睡眠時間目安:12〜15時間　昼寝回数:3〜4回　寝かしつけ目安:2〜2.5時間

スケジュール例

睡眠　母乳/ミルク　離乳食

時間 0 1 2 3 4 5 6 7 8 9 10 11 12 13 14 15 16 17 18 19 20 21 22 23

★泣いているのは本当にお腹が空いているから？　毎度授乳せず、授乳以外での寝かしつけにもチャレンジ

★朝寝は早めに眠くなることも多い

★離乳食は機嫌の良いタイミングで離乳食

★夕方に軽めに授乳しておけると◎

❶寝返りをしたら黙って戻す

寝返りしたばかりの頃は無意識にひっくり返ってしまい、戻れなくて泣いてしまうこともあります。

そんなときは黒子になって黙って戻してあげましょう。話しかけると遊びになってしまいがちです（うつ伏せのほうが落ち着けるようであれば、寝ついてから戻すのでもOK)。

❷離乳食をがんばりすぎないで

離乳食がはじまると親の仕事が1つ増えます。夜泣きなどのトラブルがあるとただでさえ睡眠不足で疲れているのに、離乳食づくり・ストック作業が加わるとより大変に。ベビーフードもおいしくて安全な商品がたくさん販売されています。うまく活用してみましょう。

❸かかと落としは足を発見したサイン

かかと落としをドンドンとして、なかなか寝てくれない子が増えるのもこの頃の特徴です。赤ちゃんとしては、足を発見して、自分の意思で動かすことができるのが面白くて仕方ないのでしょう。成長過程の1つなので、見守ってあげてくださいね。

※スケジュールはあくまで一例です。個人差や夜の睡眠時間によって日中の睡眠量や活動時間は変化します。この通りにしなければ! と思わず、お子さんのリズムに合わせてあげてください。

急成長でねんねが乱れることも増えますが徐々に睡眠と起床の時間を整え、生活リズムをつくっていくことを意識できると良いでしょう。

ママやパパの姿が見えなくなるとギャン泣きする分離不安も出てくる頃。泣かれても大丈夫なので、トイレくらいゆっくり入ってくださいね。

トータル睡眠時間目安:12～15時間　昼寝回数:3～4回　寝かしつけ目安:2.5～3時間

❶夜泣きに悩んだら スケジュールをチェック

夜泣きに悩まされる場合、まずは日中の睡眠がしっかりとれているかチェックしてみましょう。この頃の寝かしつけタイミングの目安は起床から2.5～3時間程度です。連続2時間半起きていたら試しに寝かしつけをはじめてみてください。

成長してきて個人差が出てくるので、これより長い子も短い子もいるのですが、様子を見ながら調整してみてください。

❷生活リズムを整える

この頃になってくると朝寝・昼寝・夕寝とおおよそ睡眠のペースが整ってきます。ですが、4回寝ていても大丈夫なので、1回が長く眠れない子は回数でフォローしてあげましょう。

❸歯ぐずり

歯が生え始めてむずがゆいようなら、かゆい部分を冷やしてあげましょう。冷やしたスプーンやおしぼりなどを噛ませてあげたり、冷やした指でマッサージしてあげたりすると有効です。歯固めを使用することも良い方法ですが、歯固めジュエリーは破損による窒息や怪我の原因になるので避けましょう。

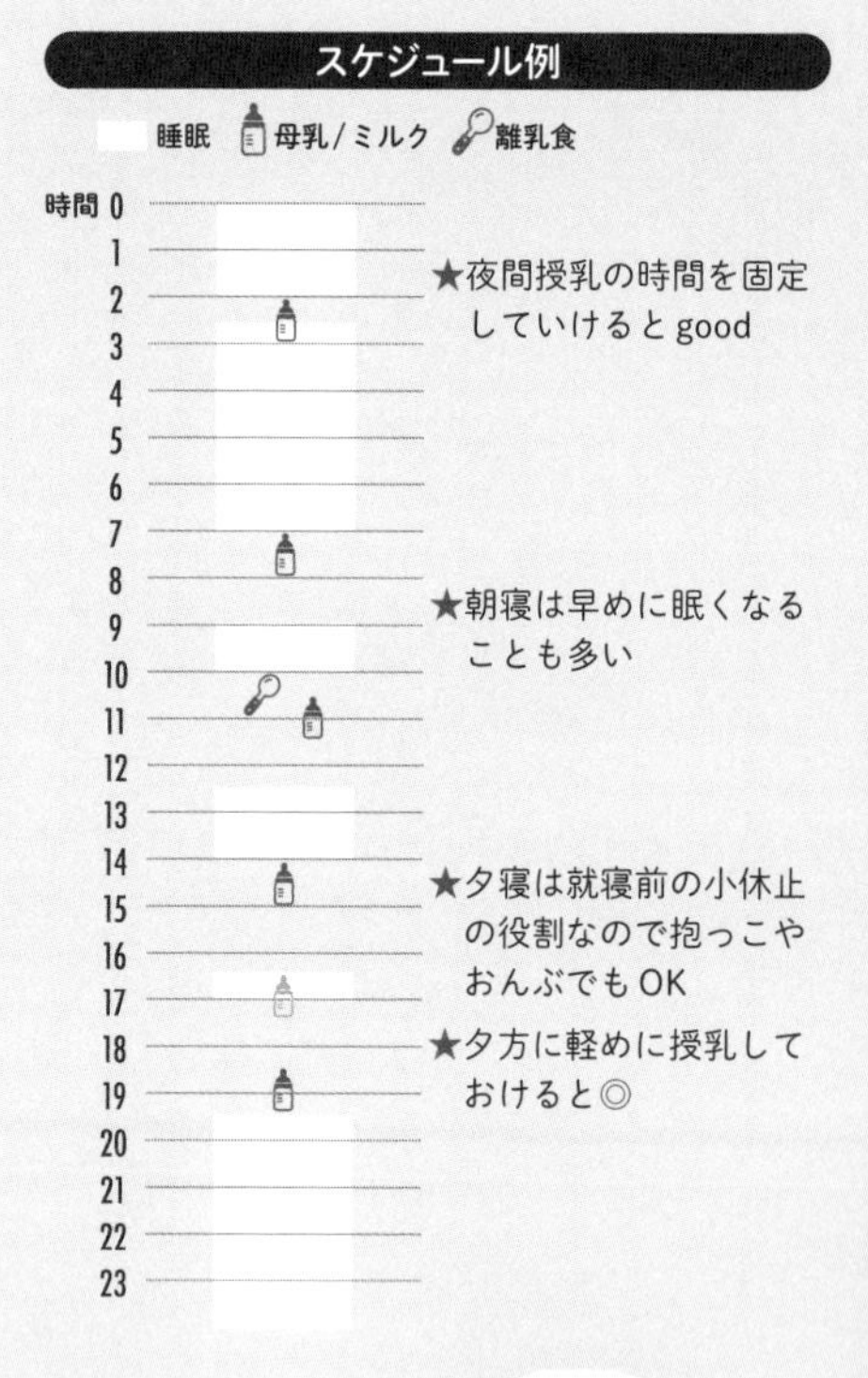

※スケジュールはあくまで一例です。個人差や夜の睡眠時間によって日中の睡眠量や活動時間は変化します。
この通りにしなければ! と思わず、お子さんのリズムに合わせてあげてください。

離乳食が２回食になると、晩御飯がはじまるため夕方〜夜の時間帯が今まで以上に慌ただしくなることもあります。しかし、まだまだ夕寝が必要な子がほとんどのため、夕寝のタイミングを逃してしまうと夜にぐずってしまいやすくなります。家事しながらおんぶでも良いので、夕寝をさせてあげましょう。

トータル睡眠時間目安：12〜15時間　昼寝回数：3回　寝かしつけ目安：2.5〜3時間

スケジュール例

睡眠　母乳／ミルク　離乳食

時間 0
1
2
3
4
5
6
7
8
9
10
11
12
13
14
15
16
17
18
19
20
21
22
23

★夜間授乳の時間を固定していけるとgood

★朝寝は早めに眠くなることも多い

★夜たくさん寝られていたりお昼寝が長かったりする子は夕寝が不要になってくる

❶食事と睡眠が重なったら睡眠を優先

離乳食と昼寝のタイミングが重なってしまうこともしばしば。眠そうになってしまったら、まずは睡眠を優先して寝かせましょう。離乳食は“楽しく食べる”ことが大事。起きて機嫌のよいタイミングで再度トライしましょう。

❷鉄分を意識的にとろう

赤ちゃんはママのお腹から鉄分をもらって生まれてきますが、この頃になるとそれを使い果たしてしまっています。鉄が不足するとイライラしたり、足がムズムズしたりして睡眠に影響が出ることもあります。

赤みのお肉やお魚、レバーなどを積極的に食べさせてあげましょう。粉末レバーや鉄分添加おやつも便利です。

❸ママ（パパ）と離れる練習もしてみよう

分離不安が出てきて、親の姿が見えなくなるだけで泣いてしまうようになったら、少し離れる練習も取り入れてみましょう。

安全な場所において、声をかけて短時間離れ（トイレなど）また戻ります。待っていれば必ず戻ってきてくれると教えてあげましょう。

※スケジュールはあくまで一例です。個人差や夜の睡眠時間によって日中の睡眠量や活動時間は変化します。この通りにしなければ！と思わず、お子さんのリズムに合わせてあげてください。

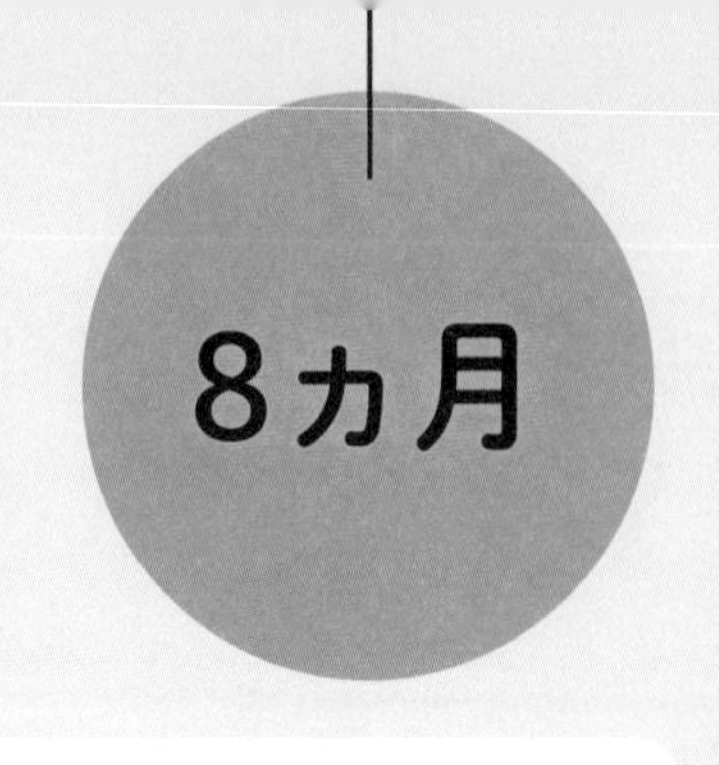

ハイハイをしはじめたりして、動きが増えてくる頃ですね。思わぬものに触られたり、思わぬところで立ち上がっていたりと危険が増えてくる時期です。部屋の中のものに注意しましょう。

徐々に夕寝がなくなる子も出てきます。夕寝がまだ必要なのに、昼寝を遅くまでしすぎて眠れなそうなら、起こしてタイミングの調整も必要になります。

トータル睡眠時間目安：12～15時間　昼寝回数：2～3回　寝かしつけ目安：3～3.5時間

❶ハイハイをしたら環境を再度見直す

ハイハイをするようになると自由に動ける空間がとても広くなります。中には眠りながら体が動いてしまう子も。

お布団で寝ている子は仕切りがないと思わぬところに移動してしまう可能性があります。コードに引っかかって上から物がふってきてしまったり、夜暗い中寝ぼけながらハイハイして家具の角に頭をぶつけてしまうことのないように、環境を見直しましょう。

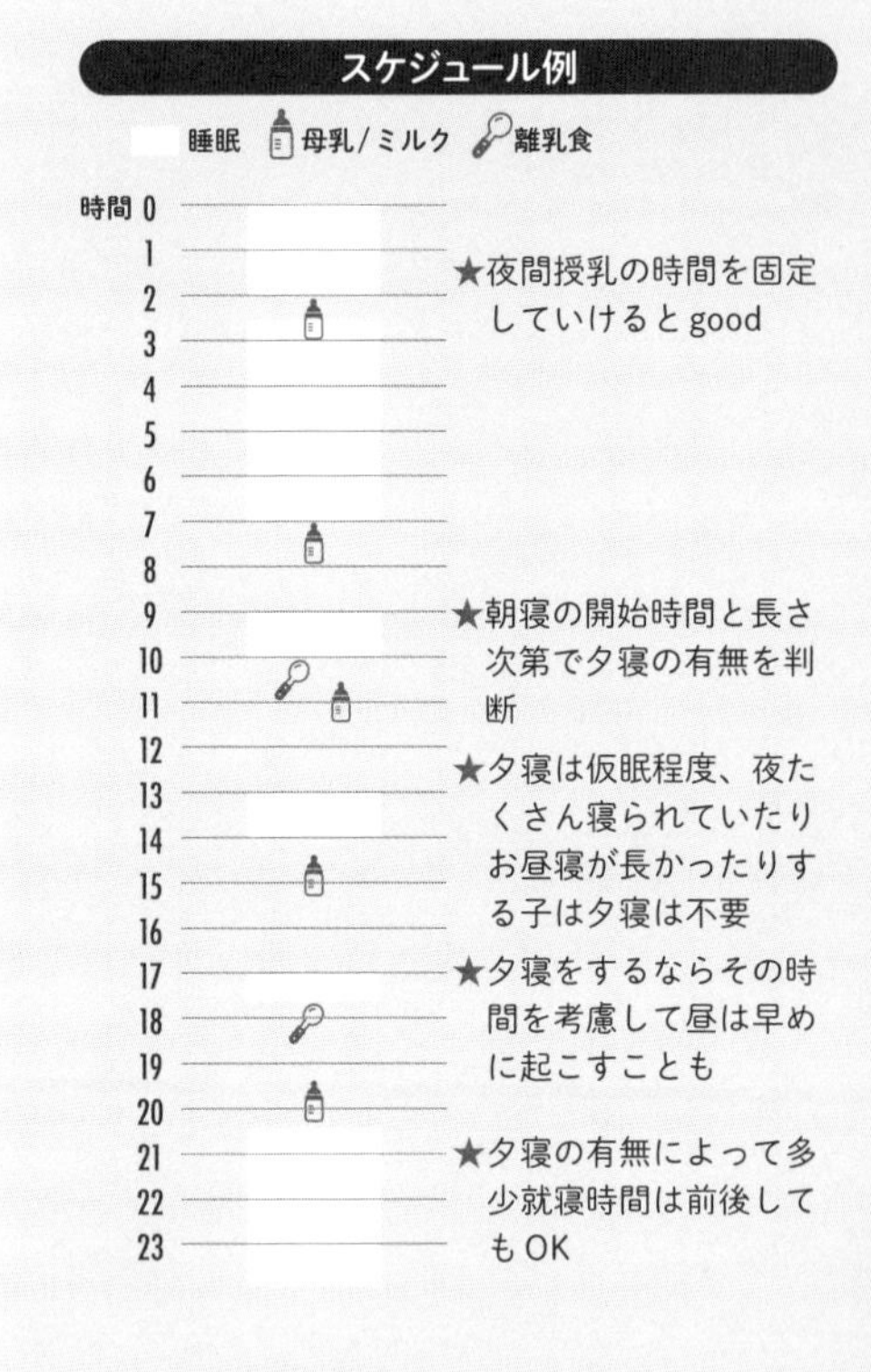

❷夕寝を逆算してみよう

夕寝をするかしないかの判断は、“朝寝を何時から何時間したか”が大事な指標になります。朝寝の様子次第で、今日は2回にするのか3回にするのか、逆算して予測を立ててみましょう。3回のつもりだったけれど、うまく寝てくれなかったときは暗めの落ち着いた部屋でゆっくり活動したり、ゴロゴロしたりする時間をとるだけでも休まります。

❸夕寝できなかった日は早寝もOK

就寝時間を統一、とは言いますがうまく夕寝ができず眠くなってしまった場合は早寝をしてもOK。無理矢理夜まで起こしていると、疲れすぎてねんねトラブルの原因になる可能性もあります。

※スケジュールはあくまで一例です。個人差や夜の睡眠時間によって日中の睡眠量や活動時間は変化します。
この通りにしなければ！と思わず、お子さんのリズムに合わせてあげてください。

ハイハイを習得すると後追いがはじまることもあります。姿が見えなくなると泣く、どこまでも追いかけてくる、など疲れてしまうこともあるかもしれません。ママやパパ自身が自分を大切にすること、今一度意識してみてください。夕寝が必要そうだけれどもうまく寝られない場合、ゆっくりゴロゴロする時間をつくるだけでも構いません。少しでも脳と体を休めてあげましょう。

トータル睡眠時間目安:12～15時間　昼寝回数:2～3回　寝かしつけ目安:3～4時間

スケジュール例

睡眠　母乳/ミルク　離乳食

時間 0 1 2 3 4 5 6 7 8 9 10 11 12 13 14 15 16 17 18 19 20 21 22 23

★夜間起きるのはお腹が空いているからではなくクセの可能性が高い

★朝寝の開始時間と長さ次第で夕寝の有無を判断

★夕寝の有無によって多少就寝時間は前後してもOK

❶赤ちゃんの安全を確保しよう

後追いされると今までよりもさらに自分の時間がないような気がして、追い詰められた気持ちになることがあるかもしれません。

赤ちゃんを安全なところに置いて、深呼吸したり、少しネットショッピングの画面を眺めたりする時間が確保できるように、赤ちゃんを安全に置いておける場所を作りましょう。ベビーサークルやプレイヤードを活用するのもおすすめです。

❷つかまり立ちをしそうなら床板をさげる

ベビーベッドで寝ている赤ちゃんは、つかまり立ちをしそうになったら床板を下げましょう。転落を防ぎます。

❸夜間断乳には事前確認と準備を

夜間断乳を検討してもよい月齢に入ってきますが、小児科医などに成長発達度合いを確認してからにしましょう。

「夜間断乳＝朝までねんね」ではありません。授乳がなくなっても他のクセがつくと頻回起きはなくならないことも。起きている原因はなんなのか、どう対応するのか、しっかり準備してから取り組みましょう。

※スケジュールはあくまで一例です。個人差や夜の睡眠時間によって日中の睡眠量や活動時間は変化します。この通りにしなければ! と思わず、お子さんのリズムに合わせてあげてください。

立ち上がったり、つかまり歩きをしたり、少し赤ちゃんっぽさが抜けて子どもらしく、より可愛くなってくる時期ですね。

ベビーベッドやベビーサークルの中で寝ているお子さんは、つかまり立ちをしてなかなか寝てくれないことも。ねんねが下手になったのではなく、そんな時期です。あわてず、成長を受け入れながら対処していきましょう。

トータル睡眠時間目安：12～15時間　昼寝回数：2回　寝かしつけ目安：3～4時間

❶寝かしつけの時間が長くなってもあわてない

つかまり立ちの時期は一時的に寝かしつけの時間が長くなることがよくあります。習得したばかりの技（立ち上がる、歩くなど）をさらに練習して自分のものにしようと体が勝手に動いてしまうのです。

その発達したい欲求を止めて、無理に横にならせようとしてもグズってしまいます。赤ちゃんなりのルーティーンだと受け止めて、泣かずに練習している間は見守ってあげましょう。

寝つけなくてグズグズするようになってきたら、少し手を貸して横になることを教えてあげたり、トントンしてあげたりしてもOK。時間がかかるからと焦って、普段より手厚いサポートをしすぎないように気をつけましょう。

❷「ゴロン」の声かけで横になれる練習を

ママやパパが身体に触れて寝転ばせようとすると怒ってしまうことも。

でも、赤ちゃん自身も怒りながらも「寝たい」と思っていたりすることもあります。

そんな時のために、日中「ゴロン～！」の掛け声で横になる練習をしておくのがおすすめ。機嫌の良い時間帯に遊びながら練習することで、夜も掛け声とともに反射的に寝転がることができるかもしれませんよ。

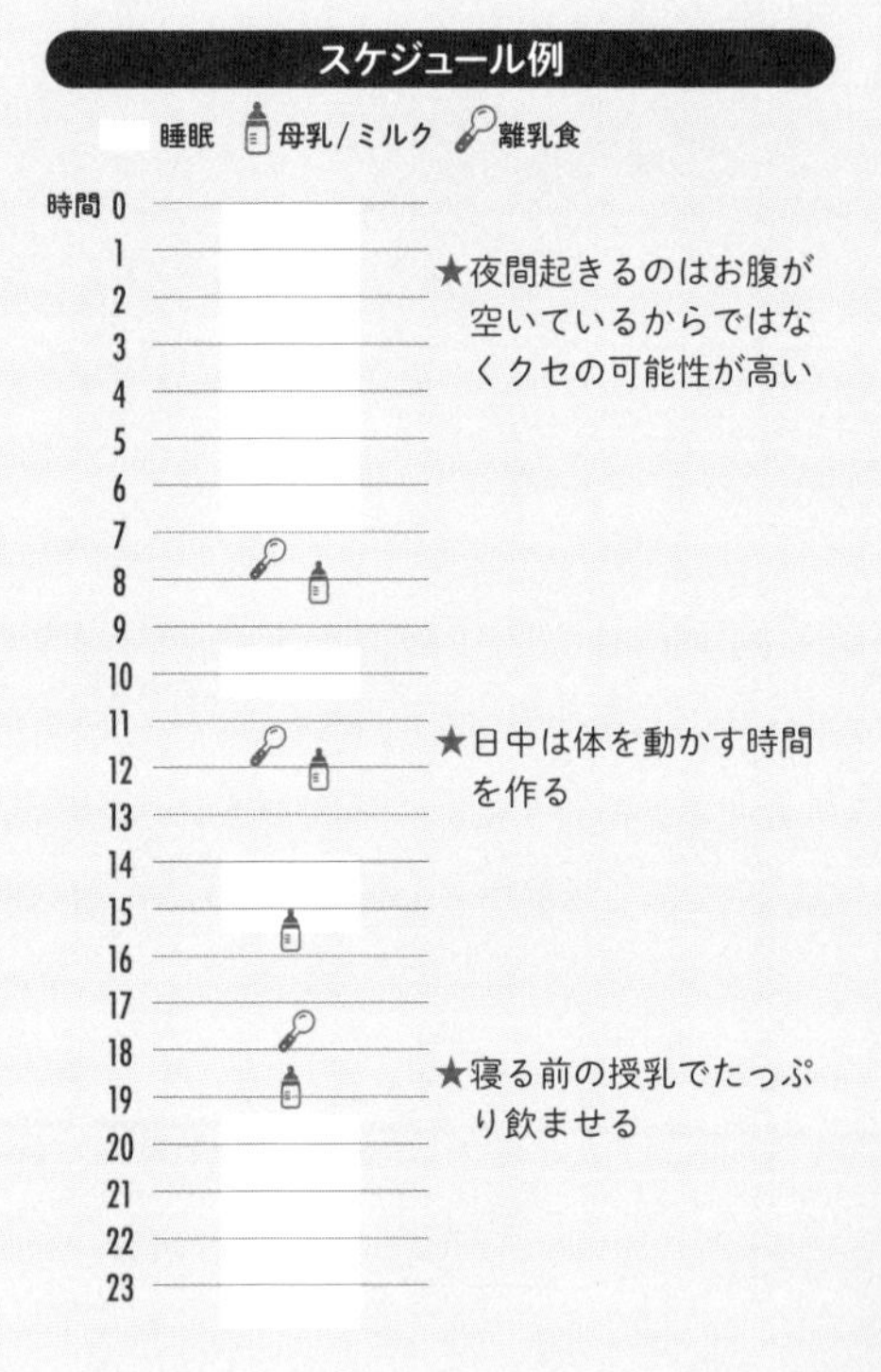

※スケジュールはあくまで一例です。個人差や夜の睡眠時間によって日中の睡眠量や活動時間は変化します。
この通りにしなければ！と思わず、お子さんのリズムに合わせてあげてください。

11カ月

離乳食が進んで、しっかり3回食べられるようになってくると卒乳する子も出てくるかもしれません。しかし、まだ授乳が必要なら焦って断乳することはありません。昔は「1歳までに…」と言われていたこともありますが、今は変わってきているので焦らずお子さんのペースで進めてあげましょう。夜間の授乳を残したまま、ねんねトラブルを解決していくことも可能ですよ。

トータル睡眠時間目安：12〜15時間　昼寝回数：2回　寝かしつけ目安：3〜4時間

スケジュール例

睡眠　母乳/ミルク　離乳食

時間 0 1 2 3 4 5 6 7 8 9 10 11 12 13 14 15 16 17 18 19 20 21 22 23

★夜間何度も授乳をしているなら授乳タイミングを決め、夜間断乳も検討

★日中は体を動かす時間を作る

★寝る前の授乳でたっぷり飲ませる

❶夜間授乳を減らすなら タイミングを決めていこう

夜間授乳の回数を減らしていきたいなら、授乳タイムを固定することをおすすめします。たとえば24時と3時の2回だけ、24時の1回だけ、といったような決め方です。現在授乳している中でも、ごくごく飲んでいる時間が少ない箇所は授乳なしにしてみてください。授乳タイム以外で起きた場合は、授乳以外での寝かしつけを徹底します。ルールを明確にすることで、赤ちゃんにも理解しやすくなっていきますよ。

❷食事と睡眠が重なったら 睡眠を優先

離乳食と昼寝のタイミングが重なってしまうこともしばしば。眠そうになってしまったら、まずは睡眠を優先して寝かせましょう。眠気もなく機嫌のよい時間帯を選んで、自分で食べる楽しさ、一緒に食べる楽しさを育んであげましょう。

❸昼寝は減らしすぎないで

そろそろお昼寝1回？　と思うこともあるかもしれませんが、まだ早いことがほとんど。就寝までの時間が空きすぎると寝ぐずりや夜泣きの原因になるので、午前・午後の2回の昼寝を意識しましょう。

※スケジュールはあくまで一例です。個人差や夜の睡眠時間によって日中の睡眠量や活動時間は変化します。この通りにしなければ！と思わず、お子さんのリズムに合わせてあげてください。

立ち上がったり、歩いたりするようになり、すっかり赤ちゃん感は抜けて幼児さんになってきます。
徐々に昼寝が減って午後の１回のみに統一されてきます。夜の起きる回数も減ってくる子が増えますが、みんな夜通し寝ているわけではありません。「うちの子はまだ起きている…」などと焦らず、１つずつ原因と考えられる要素を取り除いていきましょう。

トータル睡眠時間目安：11〜14時間　昼寝回数：1〜2回

❶日中の睡眠回数は その日ごとに判断

ある日突然昼寝が１回になるのではなく、2回の日もあり、1回の日もあり…と徐々に減っていきます。
その日、最初に寝始めた時間が午前なのか午後なのか、どのくらいの長さ寝たのかによって、夜まで起きていられるかどうか（午後寝が必要かどうか）判断しましょう。

❷何歳だから セルフねんねしなければいけない、なんてことはない

夜通し寝る、セルフねんねできる、というのは何歳になったからできなくてはいけないというものではありません。
もちろん、夜通し寝て欲しいという希望をお持ちなのであれば、それに向けて起きてしまう原因を取り除くことはおすすめします。ですが、添い寝していたいのにセルフねんねさせなくてはいけない？ などと思う必要はありませんよ。

スケジュール例

睡眠　母乳／ミルク　離乳食

時間 0 1 2 3 4 5 6 7 8 9 10 11 12 13 14 15 16 17 18 19 20 21 22 23

★夜間授乳は不要になるので、起きる要因になっているなら夜間断乳も検討

★午後寝が長めにできるなら午前寝は不要

★卒乳した子は食事とおやつのみになる

★午後寝が遅くなりすぎないよう午前中に体を動かす

★寝る前の授乳がない子はイチャイチャタイムルーティーンを引き伸ばされないよう、線引きを

まだねむくない！

※スケジュールはあくまで一例です。個人差や夜の睡眠時間によって日中の睡眠量や活動時間は変化します。
この通りにしなければ！と思わず、お子さんのリズムに合わせてあげてください。

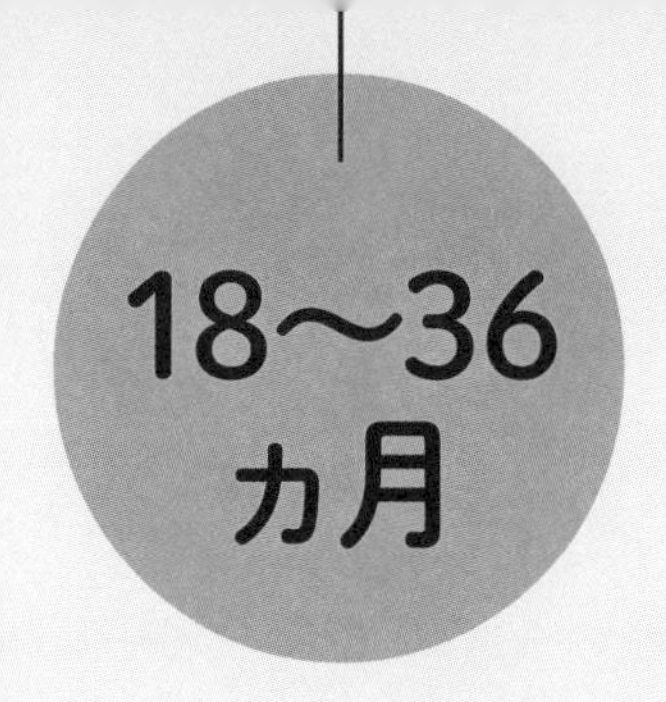

体力もついてきて、思うように寝てくれなくなってきます。昼寝をしないと夕方には眠くてぐずってしまうのに、昼寝してほしい時間にはまだ体力が余っていて寝てくれないことも。
できるだけ午前中に体を動かし、午後早めに寝られるように誘導しつつ、無理なときは夕方寝てしまったら短めに起こす、などの対策をしてみましょう。

トータル睡眠時間目安：11〜14時間（1-2歳）／10〜13時間（3歳）　昼寝回数：1回

スケジュール例

睡眠　離乳食

時間 0
1
2
3
4
5
6
7
8
9
10
11
12
13 ★就寝時間が遅くなるなら昼寝は短めに
14
15
16
17
18
19 ★寝る前には水分補給 徐々にトイレに行く習慣をつけられる子も
20
21
22
23

❶まだ寝たくない！　のグズりには怒らないし負けない

まだ寝たくない！　とグズることも増えてきます。この時、「いいから早く寝なさい！」と怒ってしまうと泣いて余計に寝られなくなってしまうことも。また、「寝ること＝嫌なこと」になってしまう可能性もあります。

かといって、「じゃあ起きていていいよ」とこちらが負けてしまうと、睡眠習慣の乱れにつながります。

大切なのは、“お子さん自身が納得して布団に入れるようにしてあげること”です。

そのためにはルーティーンチャートを活用するのがおすすめ。イラストを描いて部屋に貼り、このあと起こることを指差し確認しながら進めて習慣化しましょう。

「寝る前に最後にする遊びは、パズルにする？積み木にする？」などと二択で選ばせてあげるのもおすすめです。

❷光のコントロールを徹底しよう

幼児さんになってくると睡眠環境もゆるくなりがちですが、就寝の1〜2時間前に明かりを落としてくのは続けていくのが大事です。心や体を眠いモードにするのは、意思が強くなってくる幼児さんでこそ大切です。

❸暗いのが怖いならライトをつけよう

おばけが怖い、暗いのが怖い、とお話しするようになったら、ナイトライトなどで部屋を少し明るくしてあげましょう。

おばけ撃退スプレー（水、もしくは少し香りをつけた水など）を作ってあげるのも手助けになります。

お子さんが納得して寝られる環境を、相談しながら作っていきましょう。

※スケジュールはあくまで一例です。個人差や夜の睡眠時間によって日中の睡眠量や活動時間は変化します。この通りにしなければ！と思わず、お子さんのリズムに合わせてあげてください。

おわりに

何を隠そう、私自身はこのような睡眠の知識を全く持たずに育児をしてきたものです。大人のベッドで添い寝をしていたし、「夜寝てくれないと困る！」と言って夕方眠くて泣き叫ぶ娘を無理やり起こしたり、とにかくおっぱいこそ正義！　と毎度授乳したりしていました。

おかげで娘は日中も泣いてばっかりの通称「グズ子ちゃん」になり、1歳を迎えても夜中に5回も6回も目を覚ましておっぱいを求め、20分吸い続けても寝てくれない睡眠不足製造マシーンとして私を苦しめてくれました。

睡眠の知識に出会ったとき、「なんで早く教えてくれなかったんだ！　最初から知っていたらこんなに苦しまないで済んだのに！」と心から思いました。

でもあのときの苦労があったからこそ、娘がグズ子ちゃんだったからこそ、私はこの仕事に就き、寝てくれない赤ちゃんに苦しむママやパパに共感ができるコンサルタントになれたのだと思うと、そのきっかけをくれた娘には感謝しかありません。

冒頭にも書きましたが、私はこの本を通して〝夜泣きや寝かしつけに悩む方をラクにしたい〟と思っています。

ゴールは〝ラクになる〟ことなのです。時計とにらめっこして、クセをこわがって、どこにも出かけられなくなる…この本を読んだことでそんな生活になってしまうことは、これっぽっちも望んでいません。それならこの本は漬物の重しにでもしてしまってください。

この本では寝かしつけの方法を解説してきましたが、私は育児に〝こうしなければいけない〟などというものはないと思っています。

知識を得たからといってその通りにしなければいけないのではなく、それはあくまで「選択肢」を得たにすぎません。やるかどうかは本当に自由です。

どうか「やらなくちゃ！」と自分を追い詰めないでください。いつもと変わることを怖がらないでください。ちょっとクセがつくことを怖がらないでください。

うまくいかないときは、サポートの段階をあげたっていいんです。前に戻ったっていいんです。なにも悪いことをしているわけではありません。

一度ついた能力は、なくなりません。必ず力となり、お子さんの中に残っています。

これは私の運営する「寝かしつけ強化クラス」で標語のようにしている言葉なのですが、ママやパパが〝こうしなくちゃ！〟にとらわれすぎないために本当に大事なことだと思っています。

たとえば、あなたが一輪車に最後に乗ったのはいつですか？　おそらく多くの方は小学校以来乗っていないですよね。でも当時スイスイ乗れていたのだとしたら、その能力はなくなっていません。少し練習は必要かもしれませんが、短時間練習すればまた乗れるようになります。それと同じことなのです。

だから、大丈夫。お出かけはお出かけで楽しんで、体調不良なら甘やかしてあげてください。つらいときは寝かしつけのサポート度合いをあげたって構いません。必ず、また元に戻せます。

睡眠、食事、教育…世の中にはいろんな情報が溢れています。それを学んでいくのは、育児の選択肢を増やしているのだと思ってみてください。

この本の内容も、赤ちゃんがよく寝るようになるための知識です。実践していただければ赤ちゃんはよく寝てくれるようになります。しかし当然ながら実践するかどうかは、ママやパパに選択権があります。

「やらなきゃいけない！」なんてことはありません。完璧にしなくても、一部だけ、できることだけ取り入れたっていいのです。

解決方法がある。それがわかるだけでも、きっと未来がひらけた気持ちになる。

そんなふうにこの本をお役立ていただけたら大変に嬉しいです。

この本を執筆するにあたり、きっかけをくださった千賀さん、菊地さん、企画を提出してくださった青春出版社の武田さん、企画・編集にご尽力いただいた宮田さん、睡眠について科学的に学べる場をつくってくださった先生方に大変感謝しております。
そして、私の作業時間をつくってくれた夫と両親、きっかけを作ってくれた娘、ありがとう。家族なしにはこの本を書き上げることはできませんでした。いつも協力的な家族に感謝しています。

皆さんの育児がラクになり、家族に笑顔が増えますように。

2021年8月　ねんねママ（和氣春花）

<参考文献>

●東京ウィメンズプラザ『パパとママが描くみらい手帳 Web版』「パパの育児と愛情曲線!?」https://www.twp.metro.tokyo.lg.jp/Portals/0/jigyou/lwb/curve.html
●Rebecca Jones "Researchers Discover Why Humans React To The Sound Of A Baby Crying" THE OXFORD STUDENT(2012)
●The Period of PURPLE Crying　http://purplecrying.info/
●Jodi A. Mindell, PhD,Lorena S. Telofski, BA,Benjamin Wiegand, PhD, and Ellen S. Kurtz, PhD　"A Nightly Bedtime Routine: Impact on Sleep in Young Children and Maternal Mood."Sleep, May 1; 32(5) P599–606(2009)
●Jodi A Mindell, Albert M Li, Avi Sadeh, Robert Kwon, Daniel Y T Goh　"Bedtime routines for young children: a dose-dependent association with sleep outcomes." Sleep, May 1;38(5) P717-22(2015)
●西野精治『スタンフォード式 最高の睡眠』サンマーク出版(2017)
●森田麻里子、星野恭子(監修)『家族そろってぐっすり眠れる　医者が教える赤ちゃん快眠メソッド』ダイヤモンド社(2020)
●Michelle M Garrison , Kimberly Liekweg, Dimitri A Christakis　"Media use and child sleep: the impact of content, timing, and environment." Pediatrics. Jul;128(1) P29-35(2011)
●Michael L. M. Murphy, Denise Janicki-Deverts, Sheldon Cohen.　"Receiving a hug is associated with the attenuation of negative mood that occurs on days with interpersonal conflict." PLOS ONE, Oct 3;13(10):e0203522 (2018)
●Ian St James-Roberts 1, Marion Roberts, Kimberly Hovish, Charlie Owen　"Video Evidence That London Infants Can Resettle Themselves Back to Sleep After Waking in the Night, as well as Sleep for Long Periods, by 3 Months of Age." Primary Health Care Research & Development 18, no.3 P212-26(2017)
●Michael P. Myers, Karen Wager-Smith, Adrian Rothenfluh-Hilfiker, Michael W. Young　"Light-induced degradation of TIMELESS and entrainment of the Drosophila circadian clock." science.271.5256. P1736-40 (1996)
●小山博史『人気小児科医が教える!赤ちゃんとママがぐっすり眠れる安眠レッスン』ナツメ社(2014)
●Consultant of Infant Sleep Association(CISA)HP　https://sleepconsultant.jp/
●アメリカ国立睡眠財団HP　https://www.sleepfoundation.org/
●厚生労働省「乳幼児突然死症候群(SIDS)について」https://www.mhlw.go.jp/bunya/kodomo/sids.html
●Rachel Y. Moon"How to Keep Your Sleeping Baby Safe: AAP Policy Explained" Healty American Academy of Pediatrics (2016, update 2021)
●TASK FORCE ON SUDDEN INFANT DEATH SYNDROME "SIDS and Other Sleep-Related Infant Deaths" American Academy of Pediatrics(2016)
●J.A.Spencer, D.J.Moran, A.Lee, D.Talbert　"White noise and sleep induction. "Archives of Disease in Childhood Jan;65(1)　P135-7(1990)
●Claudia M Gerard , Kathleen A Harris, Bradley T Thach　"Spontaneous arousals in supine infants while swaddled and unswaddled during rapid eye movement and quiet sleep." Pediatrics Dec;110(6):e70(2002)
●Patricia Franco, Nicole Seret, Jean-Noël Van Hees, Sonia Scaillet, José Groswasser, André Kahn　"Influence of swaddling on sleep and arousal characteristics of healthy infants." Pediatrics May;115(5)　P1307-11(2005)
●The AAP Parenting Website「Swaddling: Is it Safe?」
●Jodi A Mindell , Avi Sadeh, Jun Kohyama, Ti Hwei How　"Parental behaviors and sleep outcomes in infants and toddlers: a cross-cultural comparison." Sleep Med Apr;11(4) P393-9(2010)
●駒田陽子、井上雄一(編)『子どもの睡眠ガイドブック　一眠りの発達と睡眠障害の理解一』朝倉書店(2019)
●My Sleeping Baby"No-Cry Sleep Training: Pantley Pull-Off"(2019) https://mysleepingbaby.com/wp-content/uploads/2019/12/No-Cry-Sleep-Training-Pantley-Pull-Off-Transcripts.pdf
●Harriet Hiscock, Melissa Wake　"Randomised controlled trial of behavioural infant sleep intervention to improve infant sleep and maternal mood." BMJ May 4;324(7345) P1062-5(2002)
●Harriet Hiscock , Jordana Bayer, Lisa Gold, Anne Hampton, Obioha C Ukoumunne, Melissa Wake　"Improving infant sleep and maternal mental health: a cluster randomised trial." Arch Dis Child Nov;92(11) P952-8(2007)
●Anna M H Price , Melissa Wake, Obioha C Ukoumunne, Harriet Hiscock　「Five-year follow-up of harms and benefits of behavioral infant sleep intervention: randomized trial.」Pediatrics Oct;130(4) P643-51(2012)
●Richard Ferber『Solve Your Child's Sleep Problems』Touchstone(2006)
●Kim West, Joanne Kenen『The Sleep Lady's Good Night, Sleep Tight: Gentle Proven Solutions to Help Your Child Sleep Without Leaving Them to Cry it Out』Hachette Go(2020)
●小児科と小児歯科の保健検討委員会「指しゃぶりについての考え方」http://www.jspd.or.jp/contents/common/pdf/download/06_03.pdf
●株式会社エムティーアイ『ルナルナ®』「乳幼児の夜泣きについての調査結果～夜泣きは期間限定!ママとなった実感を味わえるひととき～」　https://prtimes.jp/main/html/rd/p/000000252.000002943.html
●CPSC「CPSC Cautions Consumers Not to Use Inclined Infant Sleep Products」(2019) https://www.cpsc.gov/content/cpsc-cautions-consumers-not-to-use-inclined-infant-sleep-products

購入者特典！

保存できる！

寝かしつけHandBook

本で紹介されている
「寝かしつけのキーポイント」が
わかりやすくまとめられたハンドブックを
ダウンロードできます。

スマホでも
見られるので、
本が手元にないときも
いつでも
見返せて便利！

WEB

乳幼児睡眠
コンサルタント
ねんねママWEB

Instagram

ねんねママ

YouTube

寝かしつけ専門学校
ねんねママちゃんねる

カバーイラスト・本文イラスト：アイ。
本文デザイン・DTP：黒田志麻

著者紹介

ねんねママ（和氣春花）

乳幼児睡眠コンサルタント。CISA認定小児スリープコンサルタント。米国IPHI認定妊婦と子供の睡眠コンサルタント。慶應義塾大学環境情報学部卒業後、新卒で総合広告代理店に入社。長女の夜泣きに悩んだことをきっかけに乳幼児の睡眠について学び、乳幼児睡眠コンサルタントとして活動開始。個別コンサルテーションやねんね講座の他、運営する「寝かしつけ強化クラス」では月間200問以上の睡眠に関する質問回答を行なっている。日本初の乳幼児睡眠を専門に学べるYouTube「寝かしつけ専門学校　ねんねママちゃんねる」を立ち上げ、運営。その他にもInstagramやVoicyなどのSNSでも寝かしつけに悩む親向けの情報を発信中。

すぐ寝る、よく寝る赤ちゃんの本

2021年 9月5日　第1刷
2023年 9月10日　第4刷

著　　者　ねんねママ（和氣春花）

発 行 者　小澤源太郎

責任編集　株式会社 プライム涌光

電話　編集部　03(3203)2850

発行所　株式会社 青春出版社

東京都新宿区若松町12番1号〒162-0056
振替番号　00190-7-98602
電話　営業部　03(3207)1916

印刷　大日本印刷　　製本　ナショナル製本

万一、落丁、乱丁がありました節は、お取りかえします。

ISBN978-4-413-11364-9 C0077